사랑을 기억해

Remember the
LOVE

GLORY

차
례

김정원

저 먼 바다 끝엔 뭐가 있을까

보아, 아틀란티스 소녀

유하늘

아냐 내가 바라는건 하나야 하나뿐이야 달디단 쉬는날

윤수빈

이젠 외면하지 않고 마주할 수 있게
프로미스나인, In the Mirror

이현주

저요? 저는 그냥 여기에 있어요. 아무데도 아닌 여기.

전예빈

끝까지 하면 내가 다 이겨!

1장

조명

차가운 태양

유하늘

"너무 인공적이잖아."

유진은 그렇게 말하고는 먼저 가게를 나가버렸다. 무언가 더 소개해주려다가 말문이 막혀버린 주인에게 예의상의 사과와 인사를 남기는 건 또 내 몫이었다. 연락처를 주겠다고 붙잡는 것을 겨우 뿌리치고 나온 바로 앞에 유진이 서 있었다. 불퉁한 표정으로 겉옷 주머니에 손을 찔러 넣고 있는 모양새가 익숙했다. 이제는 한숨부터 나왔다. 내가 나온 걸 확인하자마자 당연하다는 듯 고갯짓이나 하고 차로 돌아가는 것도, 이제는 질릴 때가 되었다.

"이제 그만 해."
"안돼."
"아까 본 곳이 제일 태양빛과 유사한 조명이라고 유명한 곳이었어. 결국 사람이 만든 건데 인공적인 느낌이 아예 없을 수는 없잖아. 무슨 소리인지 모르는 것도 아니면서 왜 그래?"
잠시 침묵이 찾아왔다. 수소연료 자동차는 이런 면에서 참 불편

했다. 엔진소리가 정적을 채워주지 못하니 누군가는 입을 열어야만 했다. 유진은 가로등 불빛만 스쳐가는 창밖에 시선을 고정했다. 어지간해선 입을 열지 않을 작정인 듯했다. 유진이 멍청한 사람은 아니니, 이는 알고 있음에도 고집을 부리겠다는 시위에 가까운 행위였다.

"유진."
"…."
"더 인공적인 빛 아래에서도 식물들은 잘만 커왔잖아. 모르는 게 아니면서 왜 그러는 거야?"
"실제 태양 아래에서 자란 것들과는 다르다는 것도 아니까 이러는 거야."

또 다시 침묵이 찾아왔다. 할 말이 없는 건 아니었지만, 유진의 지친다는 듯한 표정에는 나오려던 말도 다시 삼키게 하는 힘이 있었다. 유진은 창가에 기대어 이마를 짚었다. 눈을 감지는 않았다. 그저 앞 유리창 너머, 시꺼먼 하늘을 응시했다. 빛이라고는 존재하지 않는 시꺼먼 하늘을. 차량 전면부에 달린 디지털시계가 저녁을 알렸다.

재앙은 전조도 없이 찾아왔다. 세상의 모든 사람들이 동의하는 사실이었지만 유진은 이런 표현을 좋아하지 않았다. 그는 언제나 이렇게 될 줄 알았다고 말했다. 전조가 없었던 게 아니야, 아무도 신경 쓰지 않았을 뿐이지. 유진은 그렇게 중얼거렸다. 그 말이 무슨 뜻인지는 알았으나, 나는 아무리 유진이라도 이런 형식의 재앙은 예측하지 못했으리라고 자신 있게 말할 수 있었다. 환경파괴로 인한 해수면 상승, 무분별한 개발로 인한 싱크홀 따위가 아니었다. 어느 날 하늘이 어두워졌다. 화산 폭발도, 태양 폭발도 일어나지 않았다. 어느 날 알람을 듣고 일어나보니 하늘에 온통 구름이 끼어있었다. 태양빛은 두터운 구름에 가려져 단 한 줌도 지상에 닿지 못했다. 그렇게 셀 수 없는 날이 흘러 지금에 이르렀다. 세계 각국의 과학자들이 모여 구름의 생성 원인과 제거 방법을 고민했다. 생성 원인은 모든 구름이 그렇듯 가열된 공기가 상공에서 응결되어 먼지와 함께 뭉쳤기 때문이고, 제거 방법은, 이론적으로는 대기의 압력을 낮추는 것. 하지만 나름 내로라하시는 학자 분들이 이런저런 시도를 해도 구름은 그 자리를 굳건히 지켰다. 제트기로 구름을 파헤쳐도 보고, 인공적으로 비를 내리기도 해봤지만 소용이 없었다고 들었다.

"대기의 압력이 너무 높아진 거야. 공해와 먼지들이 너무 많아져서."

유진은 뉴스를 보며 그렇게 말했다. 과학자 한 명도 그렇게 말했던 것 같다. 이건 환경파괴의 결과라고, 지구의 대기가 더 이상 사람도 동물도 식물도 살 수 없는 곳이 되고 만 거라고. 유진은 TV를 꺼버렸다. 햇빛을 받으라고 베란다에 두었던 식물들은 색이 바래고 말았다.

　인간은 적응의 동물이라고 했다. 생각보다 세상은 태양빛이 없어도 밝았고, 산과 들에 존재하는 식물들이 빛을 받지 못해 죽어간다든가, 동물들이 망가진 생활패턴에 스트레스를 받아 단체로 이상행동을 하거나 폐사하는 일이 꽤 있었지만, 인간은 금방 방법을 찾았다. 각 산과 들에 큰 온실을 만들어 인공조명을 설치했다. 때가 되면 꺼지고 켜지게 만들고, 온실끼리 왕래도 어떻게든 가능하게 했다. 오히려 동물들이 인간의 구역으로 침입하는 일이 없어져 더 좋아졌다. 그 과정에서 일어나는 많은 공해와 에너지 소비는 이제 딱히 중요한 일이 아니었다. 오존층에 지구만한 구멍이 생긴다고 해도, 태양빛을 완전히 차단해주는 구름이 있었으니까. 떨어진 기온은 난방으로 해결해냈고, 그게 불가능한 개발도상국들을 상대로 내로라하시는 강대국들이 어느 정도 지원을 해주기도 했다고 들었다. 태양 없는 삶은 생각보다 살만했다. 비타민 D 부족으로 우울증을 호소하는 사람들도 있었지만, 영양제를 보급하는 것으로 그것조차 극복해냈다. 재앙은 인간의 삶을 그다지 바꾸지 못했다. 드라마틱한 멸망도, 과격한 환경보호 시위도 불러오지 못했다.

　유진이 직장을 그만둔 건 태양빛이 가려지고 1년 정도가 지난 시점이었다. 늘 먼저 나갈 준비를 하던 유진이 침대에 누워 일어나질 않아 깨워보니 어제 그만두었다는 대답이 돌아왔다. 어차피 회사 내에서 정리 해고를 하려는 움직임이 보여서, 해고당하기 전에 선수를 쳤다고 말했다. 말도 안 되는 소리였다. 유진은 아직 어렸지만 적당히 높은 위치에 있을 정도로 능력 있는 사람이었다. 천재까지는 아니었지만 그만큼의 노력을 하는 사람이었다. 회사 입장에서 그런 유진을 해고 대상에 둘 리가 없었다. 하지만 굳이 캐묻지는 않았다. 유진이 다니는 회사는 태양빛이 사라진 이래로 수요가 많아져 호황기를 누리기 시작한 제약회사였고, 그렇기에 사람을 더 뽑았으면 뽑았지 자를 이유가 없다는 것도. 알고 있었다. 그럼에도 나는 유진을 믿었다. 유진은 영리한 사람이니까. 언제나 합리적인 선택을 했고, 그 선택은 잘못되는 일이 없었으니까. 잠깐 혼란에 방황하더라도, 금방 정신을 차리고 새로운 직장을 구하리라. 이 소리 없이 다가온 이변은 그저 댐이 세워지고, 숲이 사라진 정도의 이변임을 금방 깨닫게 되리라. 그렇게 믿었다. 그가 이런 저런 전자기기와 종이, 펜을 한 가득 끌어안고 창고 방에 처박혀있던 걸 보고도.

"온실을 만들 거야."

유진이 2주 만에 방에서 나와서 한 소리였다. 산과 들이 있던 곳에 가득한 게 온실인데. 온실을 만들겠다고 했다. 지금의 온실은 안 돼. 나는 지구의 식물들이 그때와 같이 살 수 있는 온실을 만들 거야.

그 안에서 자란 것들이 얼마나 아름다웠고, 지금의 것들은 왜 아름답지 못한지 세상에 말해줄 거야. 우리가 할 일은 온실을 더 만들고 비행기를 띄워 구름을 찢는 일이 아니라, 태양이 도로 돌아오도록 매연을 줄이고, 지구를 조금이라도 더 빨리 수복시키는 방법을 찾는 거라고. 말해줄 거야. 그렇게 말하는 유진의 눈은 빛나고 있었다. 눈두덩이는 퀭하고 피부는 창백했지만, 그렇게 보였다. 유진은 싼 값에 나온 교외의 땅을 사들였다. 예전에 밭으로 쓰이던 곳이라고 들었다. 농사를 짓던 사람들이 국가에서 배급하는 농사용 온실을 사기 위해 내놓은 땅이었다. 그 땅에 작은 건물을 짓고, 그 안에 방을 나누었다. 유진은 능숙하게 습도와 온도를 조절하는 기계를 설치했고, 거의 모든 일들은 자신이 도맡아 했다. 그런 유진의 소식이 지역 뉴스를 통해 알려지자 도와주겠다고 찾아오는 사람들도 몇 있었다. 대다수는 이미 존재하는 정부 소속 온실과 유진이 만들어낸 온실의 차이를 설명하며 그의 행동이 자원낭비라고 비판했다.

나는 그저 유진의 곁을 지켰다. 최근 국가의 온실 관리 부처로 제품을 공급하는 일을 우리 회사에서 맡게 된 것은 나와 유진 둘 모두에게 행운이었다. 유진이 온실을 만들다가 어려움에 처하면 동료에게 넌지시 도움을 청해 조언을 얻고, 필요한 부품을 구해오는 것도 내가 맡았다. 유진은 귀찮게 해서 미안하다는 말을 꼭 했다. 어지간한 것들은 최상의 것으로 구해다줬고 유진도 그에 만족했다. 자신이 생각하는 과업에 나를 끌어들여 미안하다는 듯 굴었다. 우리는 그 일에 한해서 완전한 타인이었다. 그럼에도 나는 유진을 위했다. 이 일이 끝나면 유진이 느끼는 어떤 책임감이 해소될테니까. 그가 그의 책임도 아닌 일에 갖는 그 부채감이 덜어질테니.

거의 모든 것들이 갖추어지고 인공태양 역할을 해줄 조명만이 남은 시점에, 그 '조명'이 가장 큰 어려움이 될 거라고는 전혀 예상하지 못했다. 유진이 원하는 진짜 태양과 흡사한 조명은 전국 어딜 가도 구할 수 없었다. 아무리 유명한 기업도, 업계 내에서 태양광 그 자체와 같다고 평가받는 기업도 유진의 성에 차지 못했다.

유진은 의자에 앉아 메모지에 몇 번씩 줄을 그었다. 이 곳도 아니고, 저 곳도 아니야. 중얼거리는 소리가 들렸다. 먼저 말을 붙일 수가 없었다. 차에서부터 이어진 숨 막히는 침묵이 공간을 가득 채우고 있었다. 우리 두 사람, 한 명씩 분의 공간을 빼고. 이를 타개하기 위한 수는 거리를 좁히는 것뿐이었다. 의자 뒤에서 팔을 뻗어 유진의 어깨를 감싸쥐었다. 유진은 거부하지 않고 느리게 그 손 위에 뺨을 기댔다. 침묵이 안정이라는 이름으로 바뀌는 순간이었다. 메모지에 적힌 것들을 확인했다. 오늘 하루 동안, 그리고 지난 시간 내내 확인한 조명 가게들의 이름이 빼곡히 적혀있었고, 절반은 지워져있었다.

"힘들지 않아?"

"괜찮아."

유진은 답하며 줄 하나를 더 그었다. 오늘 마지막으로 갔던 가게였다.

"유진."
"무슨 말 하려는지 알아."
"네가 무슨 대답을 할지도 알 것 같아."

또 침묵. 괜히 말 꺼냈지? 하고 물을 뻔 한 걸 겨우 참았다. 유진도 같은 생각을 하는 것 같았다. 손에 닿은 뺨이 유달리 무거웠다.

"인간은 더 이상 자연이 필요 없어."
"유진, 인간은 최선을 다했어."
"그랬다면 뭐가 문제인지 알았을 거야. 대체가 아니라, 회복을 고민했을 거라고."

디지털시계가 12시를 알렸다. 자정입니다. 라는 안내문구는 태양이 가려진 뒤 만들어진 모든 기종에 포함된 옵션이었다.

"인간이 만든 재앙에 고통 받는 건 자연 뿐이라는 이야기야. 이해하겠어? 이게 얼마나, 무책임하고 끔찍한 일인지. 왜 식물들은 태양빛을 빼앗겨야 하는 걸까. 그것들은 그저 입이 없어 먼지가 가득한 공기를 마시면서도 소리 지르지 못했을 뿐인데….."

*

푸르른 하늘이 옛 말이 되어가던 날이었다.

연구에 사용하던 식물들의 영양소 함량이 크게 줄었다. 관리의 부족함 때문이라고 책망할 수도 없이 거의 모든 온실에서 나타나는 현상이었다. 명백히 문제가 있었다. 그 원인은 쉽게 찾을 수 있었다. 온실에 들어가자마자 알았다.

해가 뜨고 지는 주기를 맞췄다고는 했지만 인간의 필요에 의해 조절되는 눈 아픈 백색광. 한 번도, 누구도 온실의 조명을 문제 삼은 적은 없었다. 태양이 어떤 빛이었는지 기억하는 사람은 없었으니까. 하지만 알 수 있었다. 이건 태양이 아니고, 식물들은 그걸 가장 먼저 알고 흔쾌히 멸망을 받아들이기로 했다는 걸.

아무도 듣지 않는다면 행동해야 마땅했다. 가장 이상적인 시나리오는 인간 역시 그 멸망에 동참하는 방향이었으나, 나 역시 인간인지라. 역시 살고 싶어하는 인간인지라.

태양의 빛이 얼마나 따스했는지는 기억나지 않지만, 이 세상에 존재하는 모든 빛들이, 그것의 발끝만치도 따라가지 못한다는 건 알았다.

모든 게 너무나 차가웠다. 아무 소리도 들으려고 하지 않는 세상도, 이런 나를 바라보는 네 표정도. 태양이 없는 이 세상도.

*

눈을 뜨니 유진은 없었다. 책상 위에 메모지가 하나 놓여있었다.

먼저 나갈게. 이제 내가 알아서 해볼 거야. 도와줘서 고마웠어.

말뜻을 이해하는데 시간이 걸렸다. 유진의 방 문을 열고 나서도 그랬다.

유진은 돌아오지 않았다. 여전히 존재하지 않는 인공태양을 찾아 헤매고 있었다. 인간이 만든 것들 중 무엇도 유진의 눈에는 따뜻하지 못할 것이다. 그리고, 나도 포함이었다.

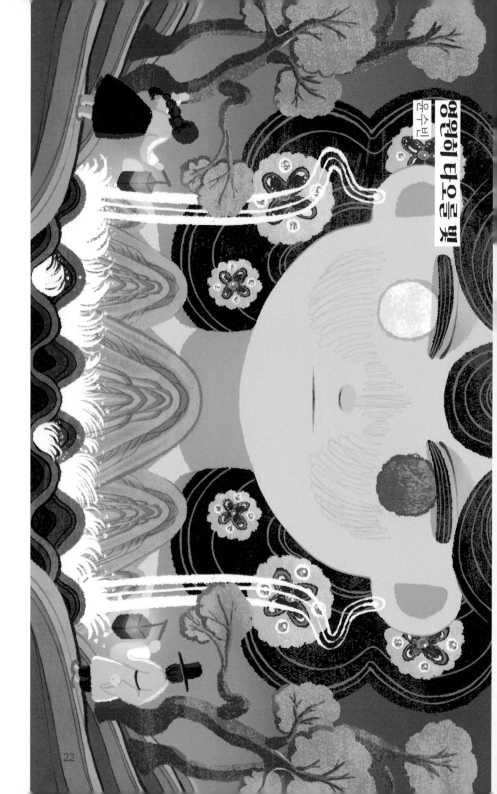

영원히 달오롤 빛

윤수빈

Balada Para Un Loco
(미치광이를 위한 발라드)

이현주

조명은 날 비추지 않았다. 탈색을 할 돈도 시간도 없는 탓에 계속 길러지기만 했던 검은 머리는 벌써 어깨에 닿았고, 그 밑으로 내려온 금빛 머리는 푸석해져 그 빛을 잃은 지 오래였다. 마치 핀 조명이 빗나가듯, 머리끝의 노란빛은 검은 머리끝에 아슬하게 매달려 있을 뿐이었다. 그에 비해 네 금빛 머리는 머리 위에서 조명을 쏜 듯 화려하게 빛났다. 그래서였는지도 모른다. 네가 싫었다. 처음 본 순간부터 넌 조명이 비추는 듯 빛났다.

그때를 잊지 못한다. 평소처럼 길거리에서 기타를 치며 노래하고 있는데 모인 몇몇 사람 사이로 네가 나타났다. 날 바라보는 네가 내 시야에 걸렸고, 마치 조명이 널 비추고 있는 듯 내 눈에는 너밖에 보이지 않았다. 노래가 어떻게 끝났는지도 인지하지 못한 채 노래가 끝나자마자 널 쫓았다. 하지만 너는 이미 사라져 있었다. 네 뒷모습이 사라진 그 거리에는 벚꽃잎만이 휘날렸고 그마저도 영화의 한 장면 같았다. 그리고 널 다시 만난 곳은 연습실이었다.

유명하진 않지만 이름 있는 가수 한두 명 정도는 있는 작은 소속사의 연습생이었다. 그리고 새로운 연습생이라며 네가 나타났다. 한 달 정도 지났을까, 나는 결정을 했다. 머리끝에라도 내려오던 그 조명은 어느샌가 완전히 사라져 있었다.

"너… 정말 연습생 그만두게?"
넌 나에게 이렇게 물었다. 곧 데뷔라는 말도 덧붙였다.
"그 회사로 가면 정말 내가 하고 싶은 음악 하게 해준댔어."
거짓말이었다. 하고 싶은 음악은커녕 나에게 러브콜을 보낸 회사도 없었다. 그저 너와 한 무대에 선다는 것이 무서웠다. 내가 하고 싶은 음악의 전부는 너였으나, 그렇기 때문에 더욱 두려웠다. 그래서 도망쳤다. 네가 싫었다. 환한 조명은 항상 널 비추고 있었고 무대는 너의 존재감으로 가득 찼다. 그런 현실에게서, 동시에 너에게서 도망치기를 선택했다.

연습생을 그만둔 뒤의 생활 속에서는 언제나 네가 싫었다. 네가 싫다는 사실만으로 내 죄책감은 가득 찼고 그 죄책감을 해소하기 위한 자기방어적 선택은 결국 그 죄책감만큼 널 싫어하게 했다. 간사하게도 음악은 계속하고 싶었다. 네가 싫어 그곳을 뛰쳐나왔는데, 다시금 너처럼 되고 싶어 음악을 그만둘 수 없었다. 아르바이트를 해 생활비를 제하고 남은 돈으로 연습실을 예약했다. 값싼 중고 기타를 들고 매일 밤 거리로 나섰다. 너와 처음 본 곳도 길거리였는데, 너를 피해

다시 길거리로 나오게 된 것이 아이러니했다. 미래도 없고 계획도 없었다. 아직 너라는 빛의 그림자에서 벗어나지 못한 것 같았다.

음악을 계속해서 하다 보니 자연스럽게 너의 소식을 들을 수 있었다. 성공적인 데뷔, 중소 소속사의 빛, 혜성 같은 라이징 스타가 된 너는 행복해 보였다. 괜히 네가 더 싫어졌다. 괜히 너를 저주했다. 갑자기 논란이나 터져라. 어디 누가 쟤 안 끌어내리나. 기도가 무색하게 너는 점점 더 잘 됐다. 그에 비해 나는 되는 일이 없었다. 아르바이트를 하던 편의점이 갑자기 문을 닫아 새 일터를 구해야 했고, 괜히 다치는 바람에 병원비가 많이 빠져나갔다. 가장 최악인 점은 매일 버스킹을 하던 곳 주변에 미친 사람 한 명이 돌아다니기 시작했다는 것이었다. 행색을 보아하니 노숙자는 아닌데, 노숙자도 입지 않을만한 옷을 입고서는 주변에서 거슬리게 했다. 계속해서 웃다가, 갑자기 어딘가로 걸어가더니, 다시 울기 시작한다. 무어라 소리치더니 다시 어딘가로 가버린다. 저런 미친놈과는 얽히면 안 되는데, 사람들이 적당히 돌아다니고 공간도 넓어 맘에 드는 그곳을 떠나기에는 너무 아쉬웠다.

벚꽃이 흐드러지게 핀 어느 봄날이었다. 날이 따뜻해졌네-, 생각하며 거리로 나서자 오늘은 왜인지 그 미친 사람이 보이지 않았다. 그 미친 사람을 오랫동안 봐오며 무언가 알아챈 것은, 그 사람은 적어도 남들에게 폐를 끼치진 않는다는 것이었다. 그냥 행위예술을 하듯, 거리에서 자신의 감정을 내뿜을 뿐이었다. 그 미친놈에게 무슨 일이라도 있나 생각하다 이내 스스로 어이가 없어 걸음을 재촉했다. 오늘따라 거리에 사람이 많지 않았다. 해가 진 검은 하늘에 하얀 벚꽃잎이 휘날려 마치 영화 속의 한 장면 같았다. 너와 처음 본 날도 이랬었는데, 생각하다 문득 뭔가 이상함을 느꼈다. 방금까지 상상하던 너의 모습, 많이 달라졌지만 한눈에 알아볼 수 있는 너의 모습이 보였다. 너였다.

너를 잡을 수는 없었다. 그동안 너에게서 온 많은 연락을 무시했던 나였다. 그런 무시가 무색하게 매일 꾸준히 메시지를 남기던 것이 생각난다. 노래가 끝나자마자 너는 사람들 사이로 사라졌고 뒤늦게라도 네가 사라진 거리를 바라보자 무언가 위화감이 느껴졌다. 그날과 같았다. 너를 잡고 싶었지만 잡지 못했던 그날과.

무언가 이상했다. 그동안 보던 너의 모습과는 달랐다. 처음 본 거리에서도, 연습실에서도, 너를 떠날 때조차 빛났던 너는 이제 빛나지 않았다. 겉모습만이 그런 것은 아니었다. 눈빛이 그랬다. 조명에 비친 듯 반짝거리던 너의 눈이 그랬다. 그날 집에 도착해 처음으로 네가 보내왔던 메시지를 열어봤다. 1이 사라질 테지만 상관없었다. 참 많이도 보냈다- 싶던 와중에, 무언가 한 문장이 걸렸다.

- 네가 보고 싶어

대체 네게 나의 존재는 무엇이었단 말인가. 잠깐 연습 생활을 함께했던 것 말고 너는 나에게 어떤 감정을 품고 있었는가. 항상 내 입장에서만 생각하다가 너의 감정을 담은 메시지를 보니 혼란스러웠다. 너에게서 도망친 그날부터 난 네가 싫단 생각밖에 하지 않았는데, 너는 사라진 나의 빈자리에서 어떤 것을 느꼈는가.

- 네가 돌아오길 바라.
- 나 데뷔하게 됐어. 너도 함께였다면 좋았을 텐데.
- 내가 재능이 있대. 사람들도 되게 좋아해. 보고 있을까?
- 네 소식을 들었어. 거리에서 버스킹을 하고 있다며? 널 처음 본 그날처럼 너는 항상 음악에 진심이구나. 멋지다. 나도 너처럼 되고 싶었는데.
- 나 다음 주에 신곡이 나와. 네가 꼭 들어줬으면 좋겠어.

- 죽고 싶어.

마지막 메시지.

그 길로 뛰었다. 어디로 뛰는지는 알 수 없었다. 네 소속사에도, 연습생 시절 자주 가던 음식점에도, 바람을 쐬러 함께 갔던 건물 옥상에도 가봤지만 너는 없었다. 마지막으로 발길이 닿은 곳은 너와 처음 만났던, 그리고 너와 마지막으로 만났던 그 거리였다. 아까와 같이 벚꽃이 휘날렸다. 숨을 헐떡이며 거리에 도착했지만 너의 모습은 보이지 않았다. 하긴, 이젠 우리나라 사람이라면 누구나 알 라이징 스타인데, 이렇게 뛰어다닌다고 어떻게 찾겠어. 나는 이제 너랑 뭣도 아닌데. 벚꽃 예쁘네. 사진이나 한 장 찍고 들어갈까- 생각하던 와중이었다.

사진을 찍으려 핸드폰을 켜자 최근 뉴스에 네 이름이 보였다.

네 이름과 어울리지 않는 문장이었다.

[라이징 스타 유시안, 자택에서 숨진 채 발견]

시선은 핸드폰에 고정되어 있었지만 어디에선가 그 미친 사람의 소리가 들려왔다. 혼자 웃고 울며 평소와 같았다. 그리고 깨달았다. 아, 내가 저 모습과 같구나. 나는… 나는, 나는 널 사랑했을 뿐인데. 미친 사람처럼 널 보며 웃다가, 널 보며 울다가, 괜히 화를 한 번 내고는, 다시금 멀리 떠나버리는 저 미친 사람처럼 나는 사랑을 했구나. 그리고 어리고 철없던 이 사랑은 나의 것만이 아니었구나.

너는 왜 마지막 순간에 날 보러 왔을까. 왜 마지막까지도 내게 메시지를 보냈을까. 답장이 없는 나에게 남긴 메시지는 자신을 보아달라는 애원이었을까, 아니면 그저 마지막 인사를 하고팠던 포기의 감정이었을까. 널 처음 본 그 순간처럼 벚꽃잎은 휘날렸고 미친 사람은 계속해서 웃어댔다. 그 웃음소리가 현실감을 떨어뜨렸다. 지금 이게 현실이 맞나, 내가 꿈을 꾸고 있나. 아니면 정말 내가 미쳐버린 것일까. 사랑이라는 감정을 깨달은 뒤 가장 먼저 무언가를 깨달았다. 이 사랑이라는 행위는 정말 미친 사람만이 할 수 있다는 사실이었다. 너에게 비추던 그 환한 조명은 그저 나의 시선에서 그랬다는 사실을, 내 시야 속의 너는 항상 그렇게 빛났음을, 그렇게 빛나는 너를 나는 사랑했다는 것을 왜 마지막 순간까지도 깨닫지 못했을까.

여전히 나는 네가 싫었다. 너를 미친 듯이 사랑했다는, 지금까지도 사랑한다는 증거였다. 길거리에 그저 서서 웃었다. 소리내어 웃었다. 웃음밖에 나오지 않았다. 그동안 널 저주해왔던 것이 그렇게 잘 들었을 줄이야, 그렇다면 나의 미래나 그려 볼걸. 너의 행복이나 빌어 볼걸. 우리의 사랑이나 빌어 볼걸. 길거리의 미친 사람은 어느샌가 보이지 않았다. 벚꽃이 흩날리는 그 거리는 누군가의 미쳐버린 웃음소리만이 가득했다.

조명관리자

전예빈

"루벤, 여기. 오늘 제거할 조명 목록."

"오늘은 몇 개야?"

"194개. 그럼 수고해."

"내일 봐."

루벤은 퇴근하는 동료를 향해 손을 흔들었다. 동료가 퇴근하고 나면, 루벤은 출근 도장을 찍었다. 루벤은 손에 들린 두꺼운 서류를 바라보았다. 루벤은 종이를 한 장 한 장 넘기며 서류를 읽어 내려갔다. 잘 안 넘어갈 때 손가락에 침을 묻혀가며 정성스럽게 읽었다. 그만큼 이 서류를 읽는 것은 루벤에게 아주 중요했다. 이 서류는 인간의 수명이 다해 꺼진 조명을 모아둔 목록이니 말이다.

루벤은 천국에서 근무하는 조명관리자이다. 인간들은 모르겠지만, 사실 천국에는 인간의 수명이 담긴 조명이 있다. 천국 본부에서 인간의 탄생을 결정하면 천국의 조명 공장에선 그 인간의 생명을 담을 조명을 만들고, 인간의 생명은 빛이 되어 조명에 담긴다. 그리고 그 생명이 지상에 내려가는 날, 조명은 천국의 천장에 꽂혀 천국을 밝히는 빛이 되고 그 조명을 관리하는 직업이 바로 조명관리자이다.

루벤의 하루는 새벽에 퇴근하는 동료에게서 조명 제거 목록을 받으며 시작됐다. 조명 제거 목록이란 어제 하루 동안 꺼진 조명들의 번호와 개수가 적혀있는 것으로, 꺼진 조명들은 인간의 죽음을 의미했다. 목록을 받으면 루벤은 종이를 정성스레 넘기며 조명의 유효기간을 확인했다. 만약 유효기간이 남은 조명이 이 서류에 올라왔다면 그건 아주 큰 사고가 발생했다는 의미였다. 살아갈 날이 남은 인간이 제 운명보다 일찍 죽었단 뜻이므로, 이는 세상의 흐름에 반하는 일이었기 때문이다. 그렇기에 루벤은 항상 유효기간을 상세히 확인했다. 눈이 빠지도록 작은 글자들을 읽어 내려갔다. 루벤은 천국의 천장으로 가는 사다리로 걸어가며 194개의 조명의 유효기간을 읽었다.

김예림, 29세. 조명 유효기간 2024.01.25.

제임스 홉스, 78세. 조명 유효기간 2024.01.25.

왕청정, 65세. 조명 유효기간 2024.01.25.

마리 톰슨, 83세. 조명 유효기간 2024.01.25.

테일러 홉킨스, 17세. 조명 유효기간 2024.01.25

.

.

.

.

우뚝. 그때, 유효기간을 읽으며 사다리로 향하던 루벤의 발이 멈추었다. 루벤은 그 자리에 멈춰 어떤 한 부분을 가리켰다. 그리곤 두 눈을 크게 떴다. 그다음엔 제 눈이 잘못된 건가 싶어 눈을 비볐다. 하지만 루벤의 온갖 노력에도 그 '어떤 것'은 바뀌지 않았다. 루벤은 그대로 입을 틀어막았다. 오늘은 1월 26일. 고로 조명의 유효기간은 1월 25일까지여야 했다. 어제 죽은 망자들의 조명을 올려놓은 서류였으니까. 그러므로 루벤이 출근하여 받은 서류에는 절대 다른 날이란 존재할 수 없었다. 이 서류에 2024년 1월 25일 외 다른 날짜는 허용되지 않았다. 그런데 이 사이에 침투한 불쾌한 숫자는 무엇이란 말인가. 루벤은 서서히 입을 열었다.

"..2024년, 1월 30일?"

무수한 1월 25일 사이에 발을 들이민 1월 30일이라는 날짜는 루벤이 뒷목을 잡게 만들기에 충분했다. 루벤은 이 이상한 유효기간을 가진 조명의 주인을 확인했다. 5일 후 생을 마감해야 했지만, 조명 유효기간의 오류로 인해 5일 일찍 죽어버린 비운의 영혼은 누구인가. 루벤의 손가락이 영혼의 이름으로 향했다.

"이름, 루이스 자넷, 나이는.."

루벤은 가여운 영혼의 나이를 보곤 그대로 손을 멈추었다. 어린 영혼의 나이는 고작 6개월이었다. 나이가 지긋한 노인도, 인생의 청춘인 20대도 아닌 이제 막 세상에 태어난 6개월의 어린아이. 태어나자마자 죽을 운명이란 것도 서러운데 천국의 실수로 인해 정해진 운명보다 5일 일찍 세상을 등지다니. 일어나서는 안 될 일이 일어나고야 말았다.

계속 슬퍼할 수는 없었다. 이건 심각한 사안이었다. 루벤은 사다리로 향하던 발걸음을 돌려 황급히 천국 본부로 향했다. 루이스 자넷의 부모가 루이스의 시체를 화장하기 전에 조명 제거 목록에서 루이스의 이름을 삭제해야 했다. 이건 루벤이 할 수 있는 일이 아니었다. 조명을 목록에서 삭제하기 위해선 천국의 본부에 가야 했다. 그건 오직 천국 본부의 수장만이 할 수 있는 일이었다. 그러니 서둘러야 했다. 더 늦으면 시체가 불타버려 다신 영혼을 되돌릴 수 없게 된다.

천국의 새벽은 인간 세상과 다르게 활기찼다. 오늘 태어날 영혼들을 지상에 내려보내야 하고, 전날 죽은 영혼들을 인도해야 하며, 새벽에 움직이는 인간들을 관리해야 하기 때문이다. 하지만 루벤에겐 이 새벽 거리가 지옥과도 같았다. 서둘러 달려가지 않으면 이 어린 영혼이 제 운명보다 일찍 부모와 헤어질 수도 있다는 생각이 루벤을 집어삼켰기 때문이었다. 천국의 안일한 실수에 아무 잘못 없는 지상의 생명이 가족의 품을 떠나야 한다니. 이건 지옥의 루시퍼나 할 법한 일이 아닌가. 천국의 실수가 루시퍼와 같아지기 전에 루벤은 두 다리를 더 빨리 움직였다.

얼마나 달렸을까. 루벤은 천국 본부에 도착했다. 본부의 문지기에게 조명관리자 카드를 보여주자 문지기는 루벤을 들여보내 주었다. 루벤은 문이 열리기 무섭게 건물 안으로 뛰어 들어갔다. 루벤이 숨을 헐떡이며 들어서자 로비의 안내원이 깜짝 놀란 듯 자리에서 벌떡 일어났다. 루벤은 잠시 자리에서 숨을 고른 후 안내원에게 다가갔다. 그의 발걸음엔 머뭇거림이 없었다. 한시가 급했다.

"무슨 일이시죠?"
"루드릭님을 봬야겠습니다."

천국 본부의 최고 권력자 대천사 루드릭. 루벤의 입에서 루드릭이란 이름이 나오자 안내원은 당황스러운 표정을 지었다. 안내원은 조심스럽게 루벤에게 물었다.

"혹시, 조명에 무슨 문제라도 생겼습니까?"
"유효기간이 다른 조명이 목록에 올라왔어요. 지상에서 그 영혼의 시체를 태우기 전에 조명제거목록에서 삭제해야 합니다."

루벤이 초조해하며 말하자 안내원이 곧바로 루벤을 안내했다. 본부의 로비는 두 사람의 초조한 발소리로 가득했다. 신발이 깨끗한 대리석 바닥에 부딪히는 소리가 로비에 크게 울렸지만, 루벤의 귀엔 그보다 더 큰 자신의 심장 소리가 들렸다. 쿵쾅쿵쾅. 쿵쿵쿵. 급박한 심장박동에 루벤은 제 심장 부근을 움켜쥐었다. 이윽고 안내원이 커다란 문 앞에 도착하고 문을 두어번 두드렸다. 그러자 문이 엄청난 굉음을 내며 천천히 열리기 시작했다. 문이 열리자 안내원은 루벤에게 들어가라 손짓했다. 루벤은 눈짓으로 감사 표시를 한 뒤 안으로 달려갔다.

루벤은 지금 심장이 터질 것만 같은 기분을 느꼈다. 서두르지 않으면 가여운 루이스의 영혼이 정해진 운명보다 일찍 생을 마감하게 될 뿐만 아니라 대천사 루드릭은 하급천사인 루벤이 감히 쳐다도 볼 수 없는 위치의 존재였기에 만나는 것조차 어려웠다. 그러므로 루벤의 심장은 사정없이 뛰기 시작했다. 쾅쾅쾅. 심장이 밖으로 튀어나올 것만 같았다.

루벤이 안으로 들어오자 루벤의 등 뒤에서 쿵, 하는 소리와 함께 문이 닫혔다. 그리고 루벤의 눈앞에 대천사 루드릭이 보였다. 그녀의 금빛 머리칼과 새하얀 날개가 조화를 이루며 그녀의 아름다움을 극대화했다. 누구나 루드릭을 보면 감탄을 자아낼 모습이었다. 루벤은 잠시 넋을 놓고 그녀를 바라보았다. 태초부터 이리 아름다우셨을까. 아름다운 루드릭의 모습은 루벤이 제대로 된 생각을 할 수 없게 만들었다. 그렇게 루벤이 잡념에 빠져들 때쯤, 루드릭의 목소리가 들렸다.

"조명관리자 루벤이여, 무슨 일로 나를 찾아왔는가?"

옥구슬이 굴러가는 듯한 부드러운 미성에 루벤은 정신을 차렸다. 그리고는 다급히 말했다.

"대천사 루드릭이시여, 간청드릴 것이 있어 왔습니다."
"그게 무엇이지?"

루드릭의 부드러운 목소리에 루벤은 자기도 모르게 침을 꿀꺽 삼켰다. 루드릭은 여전히 온화한 미소로 웃으며 루벤을 바라보고 있었다. 루벤은 서서히 입을 열었다.

"조명제거목록에서 유효기간이 다른 조명 하나를 발견했습니다. 그 조명을 목록에서 삭제시켜달라고 간청드리는 바입니다."
"유효기간이 다른 조명이라니?"
"제가 오늘 받은 목록의 조명들은 모두 유효기간이 2024년 1월 25일까지여야 합니다. 하지만 유효기간을 자세히 살펴보던 중 6개월 여아 루이스 자넷의 조명 유효기간이 2024년 1월 30일까지인 것을 발견하였습니다. 이에 삭제를 간청드리는 바입니다."

루드릭은 한참을 생각에 잠겼다. 루벤은 초조한 마음을 억누르며 그녀의 대답을 기다리고 있었다. 이제 곧 날이 밝아오고 있었다. 곧 있으면 루이스의 부모가 깨어나 죽은 루이스를 발견하게 될 것이다. 그렇다면 루이스의 시체는 장례식장으로 향하여 화장될 게 분명했다. 그 전에 어서 루이스의 조명을 삭제해야 했다. 루벤이 초조함에 손톱만 뜯던 찰나, 루드릭이 입을 열었다.

"그 아이의 조명은 삭제하지 않아도 될 것 같네."
"예? 그게 무슨⋯."
"루이스 자넷은 어제 생을 마감한 것이 맞으니."

루벤은 루드릭의 말을 이해할 수 없었다. 유효기간이 1월 30일까지였던 루이스의 조명이 오늘 자 조명제거목록에 올라왔다. 이건 명백한 실수가 아니던가? 루벤은 혼란스러운 눈빛으로 루드릭을 바라보았다. 루드릭을 바라보며 그녀가 품은 뜻을 이해하려 노력했다. 그러나 루드릭의 눈은 흔들리지 않았다. 흔들림 없이 올곧아 고요하기까지 했다. 그리고 그 고요한 눈에서, 루벤은 아무것도 읽을 수 없었다. 당황한 루벤은 천천히 입을 열었다.

"루드릭이시여, 그게 무슨 말씀이신지,"
"루이스 자넷의 조명 유효기간은 2024년 1월 30일. 나도 알고 있네. 그러나 그 아이는 어제 죽은 것이 맞아. 정해진 삶보다 일찍 생을 마감하는 것이 그 아이의 운명이지."

루벤은 루드릭의 말을 도저히 이해하지 못했다. 인간 세상에선 5일이란 시간도 소중한 세월이었다. 그런데 루이스는 그 소중한 5일을 미처 경험하지 못한 채 숨을 거뒀다. 그런데 그것이 운명이라니? 루벤은 혼란스러웠다. 그때, 루드릭이 말했다.

"그대는 영아돌연사증후군에 대해 아는가?"
"..1,000명 중 1명꼴로 영아가 돌연 사망하는 지상의 증후군이라고 들었습니다."
"그래, 그대도 알고 있지 않은가."
"....."
"영아돌연사증후군. 그것이 그 아이의 운명이네."

루드릭의 말을 듣자 루벤은 왜 루이스의 조명이 예정보다 일찍 제거 목록에 올랐는지 알게 되었다. 유효기간이 1월 30일로 적혀있음에도 오늘 자 제거 목록에 오른 이유. 예정된 운명보다 5일 일찍 사망해야 하는 이유. 원인 불명의 영아돌연사증후군이 루이스의 사망 원인이기 때문이었다. 천국에 실수란 없었다. 천국의 능력을 잠시나마 의심했던 것에 민망해지는 루이스였다.

모든 것을 알게 된 루벤은 더 이상 루드릭에게 간청하지 않았다. 그저 고개를 숙이고 두 손을 모아 루드릭에게 기도를 올렸다. 루드릭은 그런 루벤을 향해 자애로운 미소를 보였다. 대천사 루드릭의 이름에 걸맞은 미소였다.

루벤은 루드릭에게 허리를 숙여 인사한 뒤 그대로 공간을 빠져나왔다. 아까 자신이 헐레벌떡 뛰어왔던 그 길을 여유롭게 걸었다. 활기찬 새벽의 천국이 느껴졌다. 새벽의 공기가 폐부를 깊숙이 찌르도록 루벤은 힘껏 숨을 들이마셨다. 찬기가 폐를 가득 채우자 루벤은 상쾌함을 느꼈다.

루벤은 천국의 천장으로 향하는 사다리에 올라탔다. 한 손으로는 조명제거목록을 들고 한 손으론 사다리를 붙잡았다. 그렇게 루벤은 기나긴 사다리를 오르고 또 올랐다. 이제 정말로 조명을 제거할 시간이었다. 루벤은 조명이 빽빽이 채워진 천장에 손을 뻗어 조명을 제거했다.

김예림
제임스 홉스
왕청정
마리 톰슨
테일러 홉킨스

.

·

·

·

목록에 올라온 조명들을 하나하나 제거해나가던 루벤의 손이 어딘가에서 우뚝, 멈추었다. 루벤은 그 조명의 이름을 뚫어져라 쳐다보았다. 루이스 자넷. 루벤은 빛을 잃은 채 힘없이 꽂혀있는 루이스의 조명을 바라보았다. 주변의 다른 빛나는 조명들과 확연한 차이가 났다. 빛을 내뿜는 조명들은 사랑하는 사람들과 함께 즐거운 인생을 보내고 있거늘, 이 영혼은 어찌 홀로 빛을 잃어 쓸쓸히 떠나게 되었을까. 비록 이른 죽음이 운명이라 하더라도 안타까운 것은 어쩔 수 없는 노릇이었다. 그래도 이 영혼의 죽음에 오류는 없기에, 루벤은 루이스의 조명을 제거했다.

끼익. 루이스의 조명이 빠지자 루이스의 이름을 달고 있던 명찰에는 새로운 이름이 새겨졌다. 루이스의 자리에 들어올 새로운 영혼의 이름이었다. 루벤은 쓸쓸한 미소를 지으며 루이스의 조명을 수거함에 넣었다. 그리곤 이내 다른 조명들도 제거하기 시작했다. 하나, 둘, 셋, 넷…. 그렇게 루벤은 194개의 조명을 제거했다. 곧 있으면 저 자리에 채울 새로운 조명들이 들어올 것이다. 루벤은 그때까지 잠시 쉬기로 했다.

루벤은 조명수거함을 이끌고 집으로 향했다. 집에 가면 밥도 먹

고, 노래도 듣고, 영화도 봐야지. 그렇게 천국의 조명관리자는 가벼운
발걸음으로 집으로 돌아갔다.

2장

꽃가루

벚꽃색 알레르기

김정원

꽃가루 시계

윤수빈

3장

거울

마녀의 거울

윤수빈

4장

회살

고슴도치

유하늘

모였기에 꽃한다는 것

가시리

이현주

♬ 가시리 - 배두훈, 조민규(COVER)

수하 : (나지막이) 형아야. 거기 있나.

수혁 : (울음을 참으며) 그래. 내 여기 있다.

수하 : 형아야. 내 없어도 밥 잘 먹고, 잘 지내야 된데이.

수혁 : 알았다. 근데… 니 안가믄 안되나?

수하 : 고맙다, 형아야. 내 먼저 갈게.

글을 읽어내려가던 서진은 어느 한 부분을 읽으며 놀란다. 급하게 페이지를 넘겨 마지막 장을 펼치자 대본의 작가 이름이 쓰여 있다. 문예창작과 이하은. 서진은 급하게 가방을 챙겨 과방 밖으로 나간다.

"선배, 전데요. 혹시 문예창작과 이하은이라고 아세요?"

예술관 앞에서 다리를 덜덜 떨며 누군가를 기다리던 서진은 울리는 핸드폰을 보더니 그대로 길을 나선다. 지금 만날 수 없을 것 같다며 다음에 약속을 잡자는 문자를 보내고는 택시를 잡는다.

"왔니? 옷 갈아입고 나와라."

서진이 도착한 곳은 서진의 집이다. 안으로 들어서자 한 부부가 서진을 맞는다. 엄격한 목소리는 서진을 따뜻하게 감싸주지 못한다. 서진은 단정한 옷차림으로 갈아입고 부엌으로 나선다. 화려한 식단이 식탁을 채우고 있었으나 음식 어느 곳에서도 온기를 찾을 수 없었다. 서진은 이 자리가 어색한 듯 식탁 끝자리에 앉는다.

"네 형은 곧 온댄다."

여전히 감정 없는, 오직 정보 전달만을 위한 말투로 말한다. 서진 또한 신경 쓰지 않는다. 그저 젓가락으로 밥을 깨작일 뿐이었다. 냉정한 부부도, 서진도, 곧 들어온 서진의 형도 이 자리가 어색한 듯 밥을 편하게 먹지 못한다.

"야. 이 짓거리도 그만하자."

분위기를 참다못한 서진의 형이 입을 열었다. 정적 속에서 들린 형의 목소리는 짜증이 섞여 있었다. 그만-. 아버지가 형에게 제지를 하지만 형은 멈추지 않는다.

"아니 솔직히 죽은 애 하나 때문에 매년 이게 뭐예요."

이 어색한 식사 자리는 서진의 죽은 동생 서하 때문이라는 것을 그 식탁에 앉은 모두가 알았다. 서하가 죽기 전 마지막으로 바랐던 것이 정기적으로 갖는 이 식사 자리라는 것도. 서하가 목숨을 잃을 수밖에 없던 이유가 부부 때문이라는 것도 알았다.

서하는 참 착한 동생이었다. 불우한 환경 속에서도 참 밝은 아이였고, 그 상황 속에서도 천재성을 뽐내는 아이였다. 끝없는 어둠 속에서 유일하게 빛나는 아이가 그 아이였다. 서진과 서하는 친형제가 아니었고, 서진과 서하는 그들의 본래 이름이 아니었다. 먼저 이름이 바뀐 것은 서하였다. 차라리 보육원에서의 삶은 부유하지 않지만 행복했다.

"이제부터 네 이름은 유서하다."

보육원 원장은 일찍이 서하의 재능을 알아봤다. 동시에 서진의 평범도 알아챘다. 그것이 문제였을까, 서하는 홀로 그 집으로 끌려가야 했다. 그 엄격하고 서늘한 집에서 서하는 버틸 수 없었다. 서진에게 서하가 유일한 빛이었다면, 동시에 서진 또한 서하의 유일한 따뜻함이었다. 서하는 주기적으로 서진을 찾았으나, 서하의 집에서는 서진을 만나지 못하게 했다. 그 사람들은 오직 서하의 재능을 팔려는 장사치였고, 소중한 상품이 애먼 데 한눈팔지 못하게 하고 싶었다.

때문에 소식이 늦어졌다. 서진은 아예 알지 못하고 있었다. 보육원 원장이 서진을 찾기 전까지는. 서하의 집 부부는 다시 서진을 입양하길 바랐다. 이유는 알 수 없었다. 원장은 알고 있는 눈치였다. 서진의 이름이 유서진이 되고, 서진이 그 집으로 들어가도 서하는 만날 수 없었다. 서하에 대해 물어도 답은 돌아오지 않았다. 부모는 아예 서하에게 관심이 없어 보였다.

부모는 서진 또한 엄격하게 교육했다. 서하처럼 재능이 출중한 것은 아니었기 때문에, 서진에게는 끈기와 성실이라는 이름으로 붙여진 학대가 이루어졌다. 그것을 모두 버틴 것은 본인을 위함도, 부모를 위함도 아니었다. 오직 서하를 보기 위해서. 그만큼 서진에게 서하는 소중했다. 좋은 대학을 가고 성공한 인생을 살라는 부모의 말은 자신을 위함이 아니었음을 서진은 알았지만, 구태여 반항하려 하지 않았다. 그리고 부모가 갑자기 서진을 불렀다. 서하를 만나러 가자는 말과 함께. 서진은 쥐고 있던 펜을 던지듯 내려놓고 겉옷을 챙겨 밖으로 나섰다. 차 안은 조용했다. 달리던 차가 멈춘 곳은 한 대학병원이었다.

"형아야!"

병실로 들어서자 서하의 목소리가 들려왔다. 겉보기에도 서하의 상태는 좋지 않아 보였다. 서하의 머리는 깎여 있었고, 주변에는 정체를 알 수 없는 어려운 기계가 붙어 있었다. 서하는 6인실에 입원해 있었다. 오랜만에 본 서하는 말라 뼈가 보일 지경이었고, 그 와중에도 서진을 바라보는 그 눈빛은 반짝였다.

"됐니?"

서진의 뒤로 부모의 목소리가 들려왔다. 서하에게 닿은 목소리는 차가웠다. 서하는 익숙한 듯 대답했다. 무언갈 메일로 보내드렸다는 말을 덧붙였다. 무슨 뜻인지는 알 수 없었다. 곧 간호사가 들어와 수술에 대해 설명했다. 세 시간 뒤 수술이 시작된다고 말했다. 서진은 아무것도 알 수 없었다. 그저 서하의 손을 꼭 붙잡았다. 서하의 심장에는 화살이 꽂혀 있었다. 그 화살 상처에서는 피가 흘러나왔다. 그 누구에게도 보이지 않는 화살과 피는 서진의 눈에는 보였다. 서하는 그 화살이 익숙하다는 듯 웃었다. 서하는 서진이 이 화살에 대해 모르길 바랐다. 이 화살에 익숙해졌다는 사실 또한 모르길 바랐다.

세 시간 뒤 수술이라고 했지만 서하의 상태가 점점 더 안 좋아지기 시작했다. 서하는 눈조차 제대로 뜨지 못했다. 여린 숨소리가 서진의 귀에 들려왔지만 서진은 아무것도 할 수 없었다. 간호사가 달려와 임시 처치를 했고, 조금 뒤 의사가 병원에 도착하면 바로 수술에 들어가겠다고 말했다. 정신없는 와중에, 서하가 서진의 손을 꼭 붙잡으며 말했다. 형아야-.

"어?"
"형아야. 거기 있어?"
"그래. 나 여기 있어."
"형아야. 나 없어도. 밥 잘 먹고, 잘 지내야 돼."
"그게… 그게 무슨 말이야, 서하야."

서진은 서하의 말을 믿을 수 없었다. 이 상황을 믿을 수 없었다. 오랫동안 만나지 못했는데, 오랜만에 만난 서하에게서 들을 거라 예상한 말이 아니었다. 서진의 손을 붙잡은 서하의 손이 덜덜 떨렸다. 그 미약함 속에서도 강한 의지가 있었다. 그 의지는 살기 위한 의지가 아니었다.

"알았어. 근데… 너 안 가면 안 돼?"

서하는 계속해서 미약한 숨을 벅차게 내뱉었다. 서진의 말 또한 제대로 듣지 못했다. 그리고 마지막 말을 내뱉었다.

"고맙다, 형아야. 나 먼저 갈게."

서하의 말이 끝나자마자 서하에게 연결되어 있던 기계에서 경고음이 울려퍼졌다. 그 시끄러운 소리만이 병실을 가득 채웠다. 곧 의사가 뛰어 들어왔고, 서하에게 심폐소생술을 시도했다. 그 심폐소생술은 아무 도움이 되지 못했다. 곧 서하의 눈이 완전히 감겼다. 화살을 맞은 서하의 심장에서는 피가 나오지 않았다. 그저 조용했다. 심장 박동조차 느껴지지 않았다. 의사는 할 만큼 했다는 듯 숨을 고르며 침대 위에서 내려왔다. 손목에 있는 시계를 보더니 곧 입을 열었다.

6월 25일, 오전 11시 28분. 유서하 환자 사망하였습니다.

서진은 그 말을 죽어도 잊을 수 없었다. 내뱉은 말들이 날카로운 화살이 되어 서진의 심장을 꿰뚫었다.

서하가 마지막으로 부모에게 보낸 것은 서하의 마지막 재능이라고 했다. 그 재능을 마지막으로 팔아 날 만난 것이라고 했다. 서하가 마지막으로 원했던 것이 고작 날 만나게 해달라는 것이었는데. 그마저도 대가를 바란 것이 혐오스러웠다. 부모는 메일을 보냈다는 서하의 말을 듣자마자 병실을 나가버렸기 때문에 서하의 마지막 순간에도 함께하지 않았다. 그날 서하의 곁을 지킨 것은 오직 서진뿐이었다.

부부는 서하의 메일을 열었다. 메일에는 서하의 재능과 함께 마지막 유언장이 첨부되어있었다. 왜 그 유언장을 서진에게 주지 않았는지, 부부에게 향하는 메일 안에 첨부했는지 또한 서진은 알 수 없었다. 서하가 서진에게 남긴 것은 밥 잘 먹고, 잘 지내라는 마지막 말과 그 말속에 담긴 부담뿐이었다. 부부는 서진에게 매년 같은 날에 식사를 해야 한다고 말했다. 부부의 말투 속에 귀찮음은 없었다. 서하의 유언장에 적혀 있었다는 말뿐이었다. 식사를 하는 날은 서하의 기일 전날이었다.

"유세훈. 앉아."

식탁 앞에 앉은 그 누구도 숟가락을 들지 못했다. 그저 말뿐이었다. 세훈은 투덜거리며 다시 자리에 앉았고, 서진은 아무 말도 하지 않았다. 고요 속에서 아무 움직임도 찾을 수 없다가, 서진의 휴대폰이 울렸다. 서진은 자연스럽게 일어나 밖으로 나갔다. 그 누구도 서진에게 어디 가냐고 묻지 않았다. 매년 이랬다. 식사 자리지만 누구도 숟가락을 들지 않았고, 침묵 속에서 누구도 입을 열지 않았다. 침묵 속에 음식만 바라보다, 서진이 아무 말 없이 밖으로 나서면 다른 세 명도 자리에서 일어났다. 이런 이질적인 일이 매년 일어나고 있음에도 부부는 불평하지 않았다.

다음 날. 서진은 인문관으로 향한다. 연극영화과인 서진이 인문관에 가는 것은 무언가 이질적이었으나, 서진은 그런 것이 중요한 게 아니라는 듯 인문관 앞에서 누군가를 기다리고 있었다. 그러다 휴대폰 진동이 울리고, 한숨을 쉬더니 인문관을 떠난다.

서진은 곧바로 전공 수업에 들어갔다. 작품을 제작하는, 연영과라면 익숙한 수업이었다. 분반별로 작품 하나씩을 정해 한 학기 동안 연극 하나를 만들어내는 수업인 만큼, 조원들이 중요했고 다행히 서진이 잘 아는 동기들이라 한숨 놓았던 수업이었다. 그리고 그 수업이었다. 문제의 그 대본이 있던 그 수업.

대본을 구하던 중, 아는 선배가 문예창작과 후배로부터 받아냈던 대본이었다. 공모전에 냈다가 떨어졌다고 했나. 같은 조의 동기들이 대본이 좋다며 이 연극으로 하기로 했었는데, 문제는 이 대본 속에 서진과 서하가 했던 이야기가 대사로 있다는 것이었다. 어떻게 이럴 수 있지. 서진은 혼란스러웠지만 어쨌든 수업은 착실히 들어야 했다. 그나마 다행인 것은 사극이었다는 것, 극 내에서 사투리를 사용한다는 점이었다. 대본 속에서 서진은 수혁, 서하는 수하가 되어 있었고, 이름이 바뀐다는 것 또한 눈물을 참기 괜찮은 요소였다.

그날 오후, 하은을 만났다. 좋은 사람이었다. 그 내용을 어떻게 아냐는 질문에는 답하지 않았다. 비밀이라며 능청스럽게 넘겼기에 캐물을 수 없었다. 애초에 화가 난 것은 아니었다. 무엇보다, 하은이 좋았다. 하은의 그 성격이 좋았다. 쾌활하면서도 영리한 그 성격이, 마치 서하가 생각나는 사람이었다. 걱정이 무색하게도 하은과 친해졌다.

하루는 다퉜다. 큰일은 아니었다. 분명 시작은 크지 않았는데, 감정의 골은 깊어졌다. 그리고 하은은 서진에게 말했다.

"우리 이제 끝이야. 잘 먹고, 잘 지내."

하은이 떠나가며 서진에게 한 말은 서진에게 큰 상처가 되었다. 이미 심장 속에 화살 하나가 박혀 있었는데, 하은의 말은 그 화살을 더 깊이 눌러 넣었다. 이마저도 서하를 닮을 필요는 없었는데. 서진은 중얼거렸다. 서하야. 넌 언제까지 내 심장을 부여잡고 있을 거니.

그런 일이 없었던 듯 다시 친해졌다. 다시 애인이 되었다. 하은을 보며 가끔 서하가 떠올라 괴롭긴 했으나, 하은을 보며 서하가 떠오를 때보다 떠오르지 않을 때가 더 많아져 괜찮았다. 그렇게 서하는 서진에게서 점점 잊히고 있었다. 나쁜 것은 아니었다. 이전보다 더 정신적으로 건강해졌음이 실감이 났다. 서하도 분명 서진이 이렇게 밥 잘 먹고, 잘 지내길 바랐다. 하은을 만난 6개월 동안 많은 일이 있었고, 그 행복한 시간은 서하를 잊게 하기 충분했다. 그리고 방학 직전, 그리고 작품 발표.

연습 때마다 하은이 연습실에 왔다. 작가의 의견도 중요하다며 자주 찾았다. 자신의 작품이 실현되는 걸 보고 싶다고도 했다. 하은의 앞에서 수혁으로서 연기하는 것이 초반에는 힘든 일이었지만, 서진에게서 서하가 지워지듯이, 서진에게 수하 또한 무뎌져갔다. 그리고 공연날.

공연을 시작하기 전, 리허설이 생각보다 오래 걸렸다. 그래서 휴대폰을 보지 못했다. 그래서 그런 거였는데.

[서진아 미안. 갑자기 일이 생겨서 오늘 못 갈 것 같아.]

곧 공연인 서진을 배려한 것인지 이유는 적혀 있지 않았다. 공연이 시작되기 직전이 되자 하은에게 크게 신경 쓰지 못했다. 1부가 끝나고, 2부가 시작되기 전. 대본을 가져다 준 선배로부터 메시지가 왔다. 이하은 병원이랜다. 많이 다친 것 같던데. 안타깝게도 그 선배는 배려심이 넘치지 않았다. 공연을 들어가지 않을 수는 없었다. 그저 공연 내내 신경 쓰일 뿐이었다. 연기를 제대로 했는지조차 상기되지 않았다. 정신이 하나도 없었다. 그리고 마지막 씬이 시작되기 직전, 공연장의 뒷문이 살짝 열렸다. 하은이었다. 무대에 선 서진은 하은을 봤다. 그리고 하은의 상태를 봤다. 하은의 상태는 많이 좋지 않았다. 군데군데 상처가 나 있었고 제대로 서지도 못하고 있었다. 하은은 헐떡거리며 가까운 빈 좌석에 앉았다. 서진은 하은이 한 이야기가 떠올랐다.

'내 작품이 실현되는 건 이번이 처음이야. 내 첫 번째 주인공!'

서진은 하은이 몸이 약하다는 것을 알고 있었다. 딱 거기까지 알고 있었다. 어떻게 몸이 안좋은 건지, 어느 부분이 안 좋은 건지 몰랐다.

무대 장치에서 화살이 튀어나오고, 수하가 화살에 맞는다. 서하는 가짜 피를 토한다. 수혁은 수하를 감싸안는다. 그리고 수혁은 눈물을 흘린다.

모든 조명이 꺼지고, 핀 조명 만이 수혁과 수하를 비춘다. 그리고 수하가 입을 연다.

"형아야. 거기 있나."

수혁은 터져나오는 울음을 참으며 대답한다.

"그래. 내 여기 있다."

"형아야. 내 없어도 밥 잘 먹고, 잘 지내야 된데이."

그리고 수혁이 대사를 말할 차례.

서진은 입을 열지 못한다. 차마 수하에게 알았다고 대답하지 못한다. 안 가면 안 되냐고 물어도 그것이 안 될 거란걸 안다. 내 품 안의 이 사람이 결국은 떠나갈 것이라는 걸 안다. 서진의 눈에 들어온 하은은 화살에 꿰뚫려 있었다. 병실에 누워있던 서하와 같았다. 하은의 상처에서는 피가 흘러나오고 있었다. 누구도 하은의 피를 보지 못했지만 서진에게는 보였다. 서진은 하은의 심장에서 더 이상 피가 흐르지 않을 것 같아 두려웠다. 심장 박동이 느껴지지 않을 것 같아 두려웠다.

서진이 대사를 치지 않자 조명감독은 서진이 실수를 했다고 생각해 핀 조명을 내렸다. 서진의 뒤에서 앞을 향해 비추는 조명만이 서진의 존재를 그려냈다. 그리고 서진은 입을 연다. 서진이 읊조린 것은 대사가 아닌 노래였다.

"가시리. 가시리잇고."

서진 외의 그 누구도 다음 대사를 말하지 못한다. 조명을 바꾸지도, 음악을 넣지도, 그저 움직이지도 못한다. 서진은 정적 속에서 가사를 이어 부른다.

"버리고. 가시리잇고."

"…날 두고, 어찌 살라고."

서진은 가사를 더 이상 이어 부르지 못한다. 공연장은 정적만으로 가득 찬다. 울음이 섞여 있던 서진의 목소리만이 여운을 남긴다. 모든 조명도 꺼졌고, 어떤 음향 효과도 없었다. 무대 위의 서진을 보는 하은은 눈물을 흘린다. 서진은 알고 있었다. 하은은 너무나도 서하를 닮았다. 그리고 공연장의 문을 열고 들어온 하은의 모습은 서하의 마지막 모습과 너무나 닮아 있었다. 화살은 서진의 심장에 박혔다. 하은이 문을 열고 들어오는 순간 하은의 모습을 본 서진은 심장에 화살을 맞은 듯 주저앉았다. 관객들은 화살을 맞은 동생의 상태에 충격을 받은 수혁의 연기였다고 생각했겠지만, 실상은 그렇지 않았다. 서진의 심장에선 피가 흐르고 있었다. 하은의 심장에서도 피가 흐르고 있었다. 피가 떨어지는 소리는 오직 서진과 하은에게만 들려왔다. 툭, 툭. 동시에 서진의 눈물이 툭, 떨어졌다. 눈물은 수하에게 떨어졌으나 하은은 그 눈물을 보았다. 하은은 서진이 화살에 맞은 것을 알고 있었다. 자신이 그렇게 만들었다는 것 또한 알고 있었다. 하은은 눈을 감았다. 다시는 못 뜨겠다며 짐작했다.

공연이 끝나고 커튼콜이 시작되었지만 서진은 무대 위에 오르지 못했다. 하은 또한 객석에 없었다. 둘은 병원으로 향하고 있었다. 서진은 하늘을 바라보며 마치 그때와 비슷하다는 생각을 했다. 이상하게도 날씨가 좋았던 그 날. 오랜만에 서하를 보았고 다시는 서하를 볼 수 없었던 그 날. 하은의 심장에 꽂힌 화살의 상처에서 피가 점점 멎어가는 것처럼 보이는 건 기분 탓일까, 생각했다.

몇 년 뒤.

이제는 더 이상 일 년에 한 번씩 식사 자리를 가지지 않는다. 애초에 서하가 서진에게 원한 것은 한 가지뿐이었다. 나 없어도 밥 잘 먹고, 잘 살아야 해. 대신 기일마다 서하를 보러 간다. 그동안 가지 못했는데, 이제는 혼자가 아니기에 갈 수 있었다. 서진의 옆에는 하은이 있었다.

하은은 기적적으로 살았다. 공연이 끝나고 난 뒤 응급실로 실려가는 동안 하은은 서진의 손을 꼭 붙잡았다. 그리고 아무 말도 하지 않았다. 서진 또한 아무 말도 하지 않았다. 하은은 사실 알았다. 서하의 말이 서진에게 트라우마가 되어 있었다는 것을. 하은은 서하의 마지막 순간에 옆에 있었다. 부부는 서하의 재능으로 많은 돈을 벌었음에도 VIP 병실은커녕 1인실도 내어주지 않았고, 6인실에 누워있던 서하의 앞 침대에는 하은이 있었다. 하은은 그때의 기억으로 글을 썼다.

하은은 의학적으로 이뤄질 수 없는 일로 인해 살아났다. 분명 숨이 멎었었는데, 어떤 힘이 있었는지, 누군가가 하은을 도왔는지는 알수 없었다. 서진은 하은이 살아남으로써 적어도 서하의 마지막 말을 지킬 수 있어서 다행이라고 생각했다. 밥 잘 먹고, 잘 살아야 한다는 그 말. 서하의 그 말이 하은을 살린 것일지도 모른다는 생각이 들었다. 그렇기에 하은과 함께 서하를 만나러 갔다. 부부와는 연을 끊었다. 애초에 서하의 유언이 진실인지도 알 수 없었다. 일 년에 한 번 식사 자리를 가지면 서진의 방에는 꼭 돈이 있었다. 죄책감은 아니었을 것이다. 어쨌든 이제는 부부와 식사 자리를 가질 이유도, 돈을 받을 이유도 없었다.

밥 잘 먹고 잘 살라는 말. 이젠 지킬 수 있게 되었다. 몇 년 동안 미뤄서 미안하다는 말과 함께, 서진은 서하와의 마지막 추억을, 마지막 미련을 태웠다.

양궁선수 살인 사건

전예빈

    그녀가 활시위를 당긴다. 그리곤 화살촉 너머의 목표물을 응시한다. 화살촉은 목표물의 심장을 뚫을 것처럼 날카로웠다. 그녀의 화살 앞에 선 목표물은 그녀를 보며 벌벌 떤다. 나한테 대체 왜 이러는 거야! 이러지 마, 응? 왜 나를 죽이려는 건데!! 목표물이 겁에 질린 목소리로 그녀에게 소리친다. 목표물의 눈동자가 사정없이 흔들린다. 그러나 그녀의 눈동자는 미동조차 하지 않는다. 영혼이 담기지 않은 텅 비어버린 눈동자. 그녀는 목표물을 향해 활시위를 더욱더 세게 당긴다. 그녀의 화살이 목표물의 심장에 박히기 직전. 잠시 뒤, 화살은 그녀의 손을 떠났고 짧은 비명과 함께 무언가 쓰러지는 소리가 난다. 목표물이 쓰러졌음에도 아무 감정이 없는 듯 텅 비어버린 그녀의 눈동자. 그녀는 조심스레 목표물에 다가간다. 목표물의 심장에는 정확히 화살이 꽂혀있었다. 심장에 화살이 꽂힌 걸 확인한 그녀는, 그대로 그 자리에서 쓰러진다. 그리고 이것은, 대한민국 양궁 국가대표 양희령 선수가 경찰에 진술한 내용이다.

    [속보] 그리스올림픽 양궁 금메달리스트 양희령, 선수촌에서 동

료 선수 살해…. 경찰 조사

[속보] 양궁 금메달리스트 양희령, 현장에서 긴급 체포

[사건 탐색] 양궁 금메달리스트 양희령, 양궁 활로 동료 선수 살해한 이유는?

"그리스올림픽 여자 양궁 금메달리스트 양희령 선수가 어젯밤 선수촌에서 동료이자 그리스올림픽 남자 양궁 은메달리스트인 김주용 선수를 살해했습니다. 경찰은 현장에서 양희령 선수를 긴급 체포하고 수사에 착수했습니다. 이진우 기자가 보도합니다."

충격적인 소식 하나가 대한민국을 넘어 전 세계를 떠들썩하게 만들었다. 2022 그리스올림픽 여자 양궁 금메달리스트 양희령이 선수촌에서 동료 선수였던 김주용을 살해한 것이다. 살해 도구는 양궁 활. 지난 2022 그리스올림픽에서 퍼펙트텐을 쏘며 양희령을 빛나게 해주었던 그 활이었다. 양희령은 금메달을 목에 건 후 양궁 활에 입을 맞추는 세리머니를 할 정도로 활을 아끼는 선수였다. 그러나 그녀의 활은 불과 3개월 만에 사람을 죽인 살해 도구로 전락하고 말았다. 사람들은 양궁 금메달리스트의 살인에 충격에 휩싸였다. 특히 그녀는 양궁에 열정적인 모습을 보이며 무수한 대회에서 메달을 목에 건 선수였기에 사람들의 충격은 더욱 컸다. 또 하나 충격적인 것은, 양희

령이 살해한 사람이 바로 김주용 선수였다는 것이다. 김주용 선수는 2022 그리스올림픽 남자 은메달리스트로, 양희령과는 같은 고등학교 양궁부를 나와 같은 대학교 양궁부에 진학했으며, 또 같이 양궁 국가대표 선수를 지냈었다. 그는 양희령의 동료이자 오랜 친구였다. 그렇게 친했던 친구에게 활을 쏴 목숨을 앗아가다니. 사람들은 금수만도 못한 인간이라며 수군거렸다. 심지어 양희령이 자신이 살해한 김주용 선수 옆에 누워 잠을 청하고 있었다는 사실이 밝혀지자 사람들은 경악을 금치 못했다. 양희령에게는 희대의 사이코패스라는 별명이 붙었고, 양궁 협회는 그녀가 받은 모든 메달을 박탈했다. 양희령의 동료 선수 살해 소식은 국내뿐 아니라 해외에도 일파만파 퍼졌다. 동료 선수를 양궁 활로 살해한 희대의 사이코패스 양궁 선수. 그것이 사람들이 양희령을 부르는 이름이었다. 그러나, 양희령은 자신의 범행을 부인했다. 자신의 의지로 김주용을 죽인 것이 아니라고, 자신이 왜 김주용을 죽였는지 그 이유도 모른다고 주장했다. 그 모습에 사람들은 양희령이 반성도 할 줄 모른다며 손가락질했다.

하지만 양희령은 진심이었다. 그녀는 정말 자신이 김주용을 왜 죽였는지 몰랐다. 김주용을 죽였던 그 상황조차 기억이 나지 않았다. 그저 그녀는 선수촌 숙소에서 잠을 청했을 뿐이고, 누군가 자신을 깨워 일어나보니 그녀의 옆엔 피를 흘리며 죽어있는 김주용이 있었다. 그다음 보인 건 제 손에 들린 양궁 활과 김주용의 심장에 박힌 화살….

그저 그뿐이었다. 자신의 오랜 친구인 김주용을 죽일 이유가 전혀 없었다. 그런데 자신이 김주용에게 화살을 쏴 그를 죽였다니…. 머릿속이 새하얘진 그녀는 초조하게 손톱을 물어뜯었다. 차가운 조사실, 그녀의 편을 들어주는 이는 아무도 없었다. 아무리 그녀가 피해자를 죽이지 않았다고 항변해도 믿지 않았다. 그녀를 심문하던 형사는 그녀에게 화를 내며 짐승 같은 여자라고 욕을 하고는 조사실을 빠져나갔다. 양희령은 이게 무슨 상황인지 하나도 이해되지 않았다. 지금 그녀가 할 수 있는 일이라곤 정적만이 가득한 조사실에서 피가 날 정도로 손톱을 물어뜯는 것뿐이었다.

잠시 후, 소름 끼치는 소리와 함께 조사실의 문이 열렸다. 조용했던 조사실을 가득 메운 괴상한 소리에 양희령이 놀라 고개를 들었다. 형사가 그녀의 앞에 서 있었다. 조금 전 양희령을 다그치며 범행 사실을 인정하라던 무서운 형사와는 다른, 인자한 인상의 형사였다. 하지만 양희령은 형사를 눈에 담자마자 두려움에 떨기 시작했다. 형사는 두려움에 몸을 떠는 양희령을 지그시 바라보곤 자리에 앉았다. 의자를 끄는 거친 소리가 조사실에 퍼져나갔다. 잠시 뒤, 형사가 그녀에게 말했다.

"양희령 씨. 범행을 부인했다고요."

"……"

"하지만 당신이 살해했다는 증거가 차고 넘칩니다. 당신이 잡았던 활, 화살, 그리고 가장 명확한 증거인 죽은 김주용 씨 옆에서 잠을 자고 있던 당신. 더 설명할 필요도 없는 것 같은데 대체 범행을 부인하는 이유가 뭡니까?"

형사가 양희령에게 물었다. 직전의 형사와는 다른 부드러운 말투에 양희령이 살짝 고개를 들어 형사의 눈을 마주했다. 흔들림 없는 형사의 두 눈동자가 그녀에게 닿았다. 무엇이든 믿어줄 것이라는 신뢰를 주는 저 눈빛. 이 형사는 과연 나의 말을 믿어줄까? 그녀는 조심스레 입을 열었다.

"..전 죽이지 않았어요."
"그렇게 범행을 부인하는 이유가 뭐냐고 물었습니다."
"죽이지 않았으니까요. 제가 주용이를 죽일 이유도 없고요!"
"말했지 않습니까? 당신이 범인이라는 증거가 차고 넘친다고. 당신은 범행 도구를 손에 든 채 사건 현장에서 발견되었어요. 이렇게 계속 범행을 부인하면 형량이 더 늘어날 수 있어요. 그걸 원하는 겁니까?"

단호한 형사의 태도에 양희령이 주춤했다. 하지만 그녀는 당당했다. 그녀는 결단코 김주용을 죽이지 않았다. 그녀가 다시 형사의 눈을 똑바로 바라보며 말했다.

"전 그날 유독 피곤해서 선수촌 숙소에서 잠이 들었어요. 그러다 누가 절 깨워 눈을 떠보니 제가 주용이 옆에 누워있었고요. 그게 답니다. 제가 왜 그 현장에 있었는지 저도 모르겠다고요!"

억울함을 토하는 양희령의 두 눈에 눈물이 고이기 시작했다. 그녀는 지금 미칠 지경이었다. 올림픽 금메달리스트에서 한순간에 살인범이 된 자신과 자신이 죽였다는 친구. 모든 것이 억울한 이 상황에서 안 미치는 게 이상할 정도였다. 그녀가 서글프게 울자 형사가 조사실의 창을 향해 신호를 주었다. 그러자 잠시 뒤 다른 형사가 들어와 휴지를 가져다주었다. 형사는 그녀에게 휴지를 건넸다. 갑작스레 시야에 들어온 휴지에 잠시 놀란 그녀가 눈물을 닦던 손을 멈추었다. 그러다 이내 휴지를 받아들곤 눈물을 닦았다. 그리곤 뒤이어 말했다.

"이게 다 악몽이었으면 좋겠어요. 제가 그날 꾸었던 꿈처럼… 그냥 다 꿈이었으면 좋겠어요. 전 절대 죽이지 않았어요, 형사님. 저도 지금 미치겠다고요!!"

꿈? 양희령에게서 '꿈'이라는 단어를 듣자마자 형사의 눈썹이 들썩였다. 어딘가 꺼림칙함을 느낀 형사가 그것을 놓치지 않고 그녀에게 물었다.

"꿈이라뇨?"

"..네?"

"방금 말했잖습니까. 그날 꿈을 꾸었다고."

"..네. 악몽을 꿨어요. 하필 그날에요."

"그 내용을 말해줄 수 있습니까?"

갑자기 꿈의 내용을 읊으라는 형사의 말에 눈물을 닦던 양희령은 일순 행동을 멈추었다. 갑자기 웬 꿈…? 의아함에 양희령이 쉽사리 입을 떼지 못하자 형사가 그녀를 재촉했다.

"기억이 안 납니까?"

"..아뇨. 기억해요. 너무 끔찍한 꿈이라…."

"그럼 한번 말해보시죠."

단호한 형사의 태도에 양희령이 우물쭈물하며 꿈 내용을 읊었다. 형사는 그녀가 읊어주는 꿈을 들으며 그녀에 대한 정보가 담긴 문서를 떠올렸다. 그녀를 잘 알기 위해 심문하러 들어오기 전 읽어본 것이었다. 그 문서의 특이사항란에 적혀있던 무언가가 형사의 뇌를 가득 지배했다. 혹시 이것이 그녀의 범행에 작용했다면? 형사는 유심히 그녀의 이야기에 귀를 기울였다.

"전 누군가에게 쫓기고 있었어요. 너무 괴이하고 괴상한 물체였

죠. 그게 저를 쫓았고, 저는 계속해서 도망쳤어요…. 하지만 아무리 도망가도 그 물체는 저를 계속 공격했어요. 이대로 가다가는 죽겠구나 싶은 생각에 저는….”

“..양희령씨?”

“.....!!!!!!!”

그러다 양희령이 잠시 말을 멈추었다. 형사가 그녀를 재촉하려던 찰나, 그녀가 갑자기 자신의 입을 틀어막고는 두 눈을 커다랗게 떴다. 무언가를 떠올린 듯 소스라치게 놀란 표정이었다. 이전까지 본 적 없던 표정. 그녀의 얼굴은 새하얗게 질려 있었다. 양희령의 태도에 오히려 놀란 형사가 그녀에게 물었다.

“양희령 씨? 양희령 씨, 괜찮으세요?”

하지만 형사가 아무리 불러도 그녀는 그저 입만 틀어막은 채 눈물을 흘렸다. 눈물이 걷잡을 수 없이 밀려 나와 줄줄 흘러내렸다. 그녀는 충격에 휩싸인 듯한 표정을 지었다. 마치 자기 자신을 경멸하는 듯했다. 갑자기 변한 분위기에 형사는 아무 말도 하지 못했다. 그녀가 무엇을 떠올린 걸까? 형사가 양희령을 진정시키기 위해 그녀의 어깨를 잡으려는 순간, 그녀가 떨리는 목소리로 입을 열었다.

"..제 방에서 활과 화살을 챙겼어요."

"....!!"

"..꿈에서, 제가 그 물체를 죽이기 위해 제가, 제가… 활과 화살을 챙기고…."

"……"

"..그대로 절 쫓아온 그것에게 활을 겨눴어요…. 아아…."

양희령은 패닉이 된 얼굴로 자신의 꿈을 읊었다. 그녀는 무언가 깨달은 듯했다. 그녀의 눈에선 쉴 새 없이 눈물이 흘렀다. 형사도 그런 그녀를 보며 무언가를 깨달았다. 그녀의 정보가 담긴 문서에 적혀 있던 그녀의 특이사항. 그것이 그녀의 범행에 강한 작용을 했던 것이었다.

"..화살촉은 목표물의 심장을 뚫을 것처럼 날카로웠고, 제 화살 앞에 선 그것은 저를 보며… 벌벌 떨었어요…."

"…….."

"..전 그것이 드디어 겁을 먹었다고… 생각했어요…. 그래서… 아아, 그래서…."

"…….."

"그것에게 더욱 활시위를 세게 당기는데…. 그것이 저한테 소리치는 거예요…."

양희령의 두 눈은 두려움과 공포로 가득 찼다. 그녀는 심하게 몸을 떨었다. 하지만 형사는 그녀를 진정시키지 않았다. 그녀가 지금 읊는 꿈이, 그녀가 진술하는 자신의 범행일 테니 말이다. 극심하게 몸을 떨던 그녀가 갑자기 미친 듯이 웃으며 크게 소리치기 시작했다.

"나한테 대체 왜 이러는 거야!!! 이러지 마, 응?!! 왜 나를 죽이려고 하는 건데!!!"

"......"

"..하하하… 크크크큭… 저한테… 그렇게 두려워하며… 소리치더라고요… 하하하…!!!"

그녀는 미친 듯이 웃으며, 또 미친 듯이 눈물을 흘렸다. 그녀는 마침내 깨달았다. 그리고 마침내 자신의 범행을 인정했다. 친구이자 동료선수였던 김주용을 죽인 것을, 그녀는 인정했다. 인정할 수밖에 없었다. 모든 증거가 그녀가 범인임을 가리키고 있었으니까.

"....그것은 공포에 떨었고, 화살은 제 손을 떠났어요. 그리고 짧은 비명과 함께 그것이 쓰러지고…. 그것에게 다가가자 그것의 심장에는 정확히 화살이 꽂혀있더군요."

그녀의 이야기가 끝나자, 그녀의 몸 떨림도 같이 멈추었다. 형사가 양희령의 표정을 다시 보았을 땐, 그녀는 공허한 얼굴을 하고 있었다. 그녀의 얼굴과 눈빛에 남아있는 것은 없었다. 그녀는 모든 걸 놓은 사람처럼, 그렇게 가만히 앉아있었다. 그녀의 얼굴엔 이제 눈물도 흐르지 않았다. 눈물을 흘릴 이유가 사라졌다. 그녀는, 모든 걸 내려놓았으니.

형사는 그녀의 이야기가 끝나자 한숨을 쉬었다. 그리고 확신했다. 특이사항란에 적혀있던 그녀의 특이사항, 몽유병. 다량의 약물을 투여해야만 진정되는 특이한 그녀의 몽유병이 가장 친한 친구를 그녀 스스로 죽이게 한 원인이었다는 것을 형사는 확신했다.

그녀는 사건이 일어난 날 밤 꿈을 꾸었다. 이상한 괴물에게 쫓기는 꿈이었다. 그 꿈은 너무나도 끔찍하여, 그녀는 괴물을 피해 도망쳤다. 아무리 도망쳐도 벗어날 수 없다는 것을 느낀 그녀는 자신의 활과 화살을 챙겨 괴물에게 겨누었다. 괴물이 살려달라 빌어도 그녀를 막을 순 없었다. 그녀에게 괴물은, 자신을 죽이러 온 존재였으니까. 그렇게 그녀는 화살을 쏘았고, 그 화살은 괴물의 심장에 적중했다. 괴물을 처치한 그녀는 그대로 쓰러져 다시 편안히 잠이 들었다. 그 괴물이 사실은 그녀의 친구였으며 그녀가 괴물을 처치한 게 아닌 친구의 심장을 겨눴다는 절망적인 사실도 모른 채. 그렇게 양희령은 김주용을 살해했다. 자신을 세계 1위의 자리에 올려놓은 활과 화살로, 동료 선수를 살해했다.

"양희령 씨."

"·······"

"범행 사실을 인정하십니까?"

"·········네."

"···"

"··인정합니다."

"···"

"··제가, 제가 주용이를 죽였어요."

그녀는 순순히 고개를 끄덕였다. 텅 비어버린 눈동자가 그녀의 심
정을 말해주는 듯했다. 그녀의 자백을 들은 형사는 조사실의 창을 향
해 고개를 끄덕였다. 곧이어 형사들이 들어와 그녀의 양팔을 붙잡고
는 그녀를 일으켰다. 그녀는 힘없이 자리에서 일어났다. 그녀의 몸에
는 힘이 전혀 들어가 있지 않았다. 그녀는 형사들이 이끄는 대로, 그
렇게 조사실을 빠져나갔다.

형사는 조사실에 한참을 앉아있었다. 그녀가 앉아있던 자리엔 그
녀가 흘린 눈물만이 가득했다. 이 눈물이 어떤 의미인지, 형사는 알
것 같기도 했다. 하지만 그렇다고 그녀가 벌인 일을 용서할 수는 없
다. 어쨌든, 그녀는 김주용 살인사건의 범인이었으니까. 형사는 그녀
의 눈물을 닦아주기 위해 가져왔던 휴지를 조금 뜯어 책상에 떨어진
그녀의 눈물을 닦았다. 어찌나 많이 흘렸는지 한 장으로는 다 닦여지

지 않는 그녀의 눈물을, 형사는 그렇게 묵묵히 닦았다.

5장

White night

A

김정원 **이현주** 전예빈 **윤수빈** 유하늘

해가 지지 않았다. 시계 초침이 움직이는 소리가 들리지 않는다. 떨어뜨려 깨졌다고 생각한 머그잔은 바닥에 부딪히지 않고 공중에 멈춰 있다. 머그잔 안에 담긴 커피가 흘러 거꾸로 쏟아지는 모양 그대로. 꼭 파도 자락을 그림 한 폭에 담아놓은 것 같다. 다른 점이 있다면 평면인 그림과는 다르게, 이 머그잔은 내가 직접 움직이며 360도 각도에서 볼 수 있다는 거겠지. 결코 설명할 수 없는 기이한 광경이다.

하지만, 그런 것 따위보다 더 비현실적인 것은 내 방 침대 위에 앉아있는 A의 모습이다. A는 나와 눈을 맞추고 부드럽게 웃는다. 모든 것이 멈춘 세상에서 홀로 움직이는 존재라니. 그 이질감에 A가 이미 죽은 사람이라는 것을 여지없이 실감한다. 나와 A를 제외한 세상의 시간이 멈추어 있다. 나는 이 기묘한 일의 원인이 눈앞의 A라는 사실을 직감한다.

A는 나의 어떤 질문에도 아무 말 하지 않았다. 부드럽게 웃고는 있으나 그 웃음 속에 어떤 감정이 서려 있는지, 어떤 의도를 가지고 있는지조차 알 수 없다. 공중에 붕 떠 있는 머그컵과 멈춰버린 커피 조각, 흐르지 않는 시계

까지 시간이 멈춘 공간 속 이질적인 것은 많았으나 그중 가장 이상한 것은 홀로이 움직임을 가지는 A였다. A는 날 바라보기만 했다. 그 어떤 것도 하지 않았다. A가 죽어있다는 것을 체감한 것은, 이 멈춰버린 공간 속, 정적 속에서 들리는 것은 오직 나의 심장 소리라는 것이었다. A에게서는 어떠한 소리도 들리지 않았다. 어쩌면 이 세상 사람이 아니겠다는 생각도, 어쩌면 내가 꿈을 꾸고 있을지도 모른다는 생각도 들었다. 그러다 공간이 꺼졌다. 어떠한 빛도 스며나오지 않았다. 픽-. 꺼져버린 세상은 조금 뒤 켜졌고, 곧이어 쨍그랑-, 머그컵이 바닥에 부딪혀 커피가 쏟아지고 컵이 깨지는 소리가 났다. 침대 위에는 아무것도 없었다.

다음날 같은 시간, 또다시 세상이 멈췄다. 생동감있게 움직이는 화면을 보이던 TV는 한 프레임에서 멈춰버렸고, 따라놓은 콜라에서는 기포가 굳은 것처럼 멈췄다. 그리고 또다시 그가 있었다. A는 거실 한켠에 서서 나를 바라보고 있었다. 어제와는 다른 표정이었다. 오늘은 A가 웃지 않았다. 무표정으로 날 바라봤다. 자리에서 일어나 A를 만지려 시도했다. 하지만 A는 만져졌으나 움직여지지 않았다. 마치 어제 멈춰버린 머그컵을 만지는 느낌과 같았다. A는 자신의 의지대로만 움직일 수 있는 듯했다. 어째서 이 공간에 내가 살아있을 수 있는지, 움직일 수 있는지는 여전히 알 수 없었다. A는 차가웠다. 마치 시체 같았다. 여전히 나의 심장소리만이 들려왔다. 오늘도 이러다 깜깜해지려나, 생각하던 중, 내 심장소리만 들려오던 공간에 이질적인 소리가 들려왔다. 화면이 멈춰있던 TV가 픽 꺼지더니, 검은 화면으로 바뀌었다. 마치 어제 세상이 꺼진 것과 비슷했다. 그러더니 또다시 켜졌고, 그 화면 속에서는 꺼지기 전과 다른 화면이 보였다. 한 사람이 보였다. 그 사람은 의자에 앉아 행복한 듯이 웃고 있었다. 화면 속에서는 분명 웃고 있었는데, 누군가 흐느끼는 소리가 들려왔다. 소리가 너무 생생해 마치 화면 속 웃는 얼굴이 이질적으로 느껴졌다. 그러더니 어제와 같이 세상이 꺼졌다. 픽-.

어제 그 울음은 누구의 것이었을까. 그리고 TV 화면 속에 앉아있던 사람은 또 누구고. 이해할 수 없는 일들의 연속에 나는 머리를 부여잡았다. 머릿속이 복잡해 통 생각을 할 수 없었고 심장은 불안하게 뛰었다. 언제 또 그런 기이한 현상이 내게 들이닥칠지 모를 일이었다. 시간이 멈추고, 맞은편 침대엔 A가 앉아 나를 보고 미소 짓겠지. 그러다 TV가 켜지고, 누군가의 울음소리가--

픽-.

아, 또 시작이다. 또 세상이 멈추었다. 모든 게 멈춘 세상 속에서 나 혼자만 움직였다. 그리고, A도. 뭐? A가 움직여? 그래. A는 분명 움직였다. 여태껏 움직임을 보이지 않았던 A가 나를 향해 눈을 접으며 싱긋, 웃어 보였다. 그 모습에 나는 소스라치게 놀랐다. 몸이 얇게 떨려왔다.

"..너, 너 뭐야?"

몸이 떨리자 목소리도 같이 떨려왔다. A가 처음으로 움직였다는 것에 대한 두려움과 모든 게 멈춘 세상 속, 새로운 현상이 일어났다는 설렘이 가슴 속에 들어찼다. A는 아무런 말이 없었다. 그저 두 눈을 깜빡이며, 아주 어여쁘게 나를 보며 웃고 있었다. 속을 알 수 없었다. 시간이 멈춘 세상은 고요했고, A와 나 사이엔 정적이 감돌았다. 나는 다시 물었다.

"너 뭐야? 뭔데 무섭게 거기서 웃고만 있는 거야?"

그러자 A는 나를 향해 빠르게 다가왔다.

"아니 당신 뭐냐고! 이 집에 눌어붙은 귀신이면 집세라도 반 내라고!"

나는 당황하여 그에게 닿지도 않을 컵과 작은 화분을 내던지며 아무 말이나 내뱉었다. A는 가볍게 무시했다.

"이것을 그녀에게 전해줘."

그 말을 끝으로 세상은 원래대로 돌아왔고 A는 흔적도 없이 사라져 버렸다. 그에게 던지던 컵과 화분은 던지기 전의 위치에 아무 일도 없었다는 듯 그대로 있었다. 손에는 열쇠 구멍이 있는 하트 모양의 낡은 목걸이가 쥐어져 있었다. 나는 이런 형태의 목걸이를 가지고 있지 않았다. 소름이 끼쳤다. 다음에 A가 또 세상을 멈추고 나타난다면 무섭지만 여러 가지 따져 묻기로 했다. 그러나 두 번 다시 세상이 멈추는 일은 없었다.

아무래도 A는 사라지기 전 내게 이 낡은 목걸이를 쥐여 준 것 같다. 세상이 멈추지 않게 된 지 일주일째, 오늘도 집에 오자마자 침대에 누워 목걸이를 손에 쥐고 바라보았다. 그동안 수도 없는 질문들이 속으로 쌓여갔다. 그가 말한 그녀는 누구일까. 사랑하던 사람일까. 목걸이를 열면 누군가의 모습이 있는 걸까. 낭만적이네. 소중한 사람의 모습을 담은 목걸이라니. 그런데 그는 이미 죽은 거 아닌가? 그래서 그런 형태로 나타나서 그녀에게 대신 전해달라고 한 걸까. 그 비극의 상대는 누구일까. TV 속 의자에 앉아 환히 웃던 사람일까. 나는 그 사람이 A가 말한 그녀이지 않을까 짐작했다. 흐느끼던 누군가의 소리도 그녀의 것일까. 하지만 나는 목걸이를 전해주지 못할 것이다.

"무슨 수로 그녀를 찾아?"

그가 사라진 후 세상이 멈췄던 것과 A의 존재에 대한 기억이 꿈처럼 희미해져 가고 있었다. 그나마 기억나는 거라고는 TV 속에서 웃고 있던 그녀로 추정되는 사람의 갈색 눈동자와 긴 머리카락과 웃음, 그리고 파란색으로 칠한 나무 의자뿐이다. 그것만으로 그녀를 찾는 것은 무리였다. 애초에 그 사람이 A가 말한 그녀인지도 확신할 수 없었다.

이제는 제대로 기억나지도 않는, 내 침대에 앉아 기분 나쁘게 웃기만 하던 남자를 자던 중 가위에 눌려 본 귀신이라 결론지었다. 그러나 혹시 목걸이를 전해주지 않았다며 그가 다시 찾아올까 봐 몇 년 동안 가지 않았던 할머니 댁으로 짐을 챙겨 도망쳤다.

오랜만에 시골로 내려온 손주를 할머니는 정말 반갑게 맞아주셨다. 그리고 나선 서울에서 밥은 제대로 먹고 다니냐며 상 한가득 음식을 내오셨다. 그렇게 따뜻하게 배를 채우고 마루에 누워 옆에서 TV 를 보는 할머니의 모습을 바라보았다. 할머니의 주름은 전에 봤을 때 보다 더욱 깊어졌다. 하지만 슬프지는 않았다. 표정은 그때보다 훨씬 좋아졌기 때문이다. 할머니는 TV를 보다 말고 누워있는 나를 보며 요새 취미 생활을 시작했다고 말씀하셨다. 그리고 핸드폰으로 최근 에 찍은 사진들을 보여주셨다. 할머니의 동네 친구분들의 모습만 보 이길래 물었다.

"보통 꽃이나 풍경 사진을 많이 찍지 않나? 왜 전부 친구분들의 모습만 찍었어요?"

할머니는 그런 것보다 주변 사람들을 사진에 담는 것이 더 좋다 말하셨다.

"풍경이야 계절마다 변하지만 큰 일이 있지 않는 이상 거의 그 모 습 그대로 돌아오잖냐. 근데 사람은 죽으면 다시는 돌아오지 않더라 고."

그런가? 할머니의 말이 와 닿지 않아 그냥 웃어 보였다. 아직 소중 한 이의 죽음을 겪어보지 않았기 때문인걸까.

"그래, 요새 자취 시작했다며. 새집은 어때? 좋냐? 그래서 거기에 눌어붙어서 할미 집에는 코빼기도 안 내밀었냐? 전화라도 가끔 하면 어디 덧나더냐!"

어느새 화제가 바뀌었다. 할머니가 한숨도 쉬지 않고 말씀하셨다. 최근에 연락도 덜 하고 이곳에 오랫동안 오지 않아 서운하신 듯했다.

"아니 그건 일이 바빠서……"

사실 이곳에 오지 못할 정도로 바쁘지는 않았다. 그냥 이곳으로 오는 게, 전화를 거는 게 귀찮았다. 양심에 찔려 말을 얼버무렸다.

"아니 그것보다 할머니 들어봐. 그 집에서 무슨 일을 겪었는 줄 알아?"

얘깃거리를 바꾸기 위해 나는 가위에 눌렸다고 생각했던 일들을 쉴 새 없이 늘어놓았다. 할머니는 가만히 듣다가 크게 박소하셨다.

"아니, 무서운데 쪽팔려서 엄마한테 가지는 못하겠고, 그래서 여기로 온 거야? 오랜만에 할미 본다고 핑계 대고 그 집에서 도망치려고? 어이구, 염병 떨고 자빠졌네."

"아니 진짜 무서웠다니까? 이것 좀 봐!"

바지 주머니에 넣고 있었던 목걸이를 꺼내 보여드렸다. 그걸 본 할머니의 표정이 묘해졌다. 예상 못 한 반응에 나는 당황했다. 목걸이를 보면 이 골동품 같은 것은 또 뭐냐며 무서운 주제에 그건 왜 지니고 다니냐고 핀잔을 줄 줄 알았다. 이윽고 할머니가 조금 떨리는 목소리로 말씀하셨다.

할머니와 엄마가 살던 집 옆에는 버드나무 하나가 있었다. 다른 나무들보다 훨씬 크고 단단했는데, 어린 아이들이 하도 올라가 놀다 다치는 사고가 많이 일어나다보니 주변에 단단한 울타리를 쳐서 못 가게 만들어 두었을 정도였다고 했다.

마을에는 어린 신혼부부 한 쌍이 있었다. 그 부부는 버드나무 하나를 두고 할머니네 집과 이웃해있었는데, 마을사람들에게 친절하고 싹싹해서 평판도 아주 좋았다. 남자가 뱃사람이었는지 주기적으로 오래 집을 비우곤 했고, 그럴 때마다 할머니는 여자를 집에 데려와 함께 시간을 보내곤 했다고도 했다. 할머니의 남편도 집 밖으로 나도는 일이 많았기에 그 여자가 집에서 얼마나 외로울 지 너무 잘 알아 혼자 둘 수가 없었다. 평범하고 보기 좋은 부부였다는 말도 했다.

비극은 평범한 날들 중에 벌어졌다. 배를 타러 나간 남자가 돌아오지 않더니, 며칠 뒤 편지 하나가 배달되었다. 배가 암석을 만나 침몰했고, 배상금이 나올 거라는 사무적인 편지. 여자는 그 편지를 받고 몇날 며칠을 집 안에 틀어박혀 울다가 그대로 사라졌고, 그 여자가 항상 하고 다니던 목걸이만 버드나무 줄기에 처량하게 걸려있었다.

"그 목걸이가 이거라고요? "

할머니가 고개를 끄덕였다. 손에 든 목걸이의 무게가 갑자기 배가 된 기분이었다. 심장도 묵직하게 가라앉는 기분이 들었다.

"말도 안돼. 이상하잖아요."

"모르지. 세상엔 워낙 이상한 일이 많으니까. 그 목걸이가 왜 네 집에서 나왔는지도 모르겠고. 여튼, 어서 버리든가 해라. 죽은 사람 물건 함부로 가지고 있는 거 아니야."

"아니, 아니. 그 말대로라면 이 열쇠는 그 여자분 건데, 그걸 어떻게 그 남자가 가지고 있어요? 어떻게 나한테 줄 수가 있어요? "

할머니는 아무 말 하지 않고 나를 바라봤다. 그 남자가 누군지 짐작하는 눈빛이었다. 그건 나도 마찬가지였다. 이야기를 듣자 그 집에서 일어났던 기이한 일들의 앞뒤가 맞춰졌다. A에 대한 꺼림직함과 두려움이 연민으로 바뀌는 것은 한순간이었다. 하지만 슬픈 건 슬픈 거고. 내 마음속에는 더 큰 의문이 자리 잡아야 했다. A는 왜 하필 내 집에 나타났을까? 왜 나에게 목걸이를 준 걸까?

A는 왜...

"할머니 나 이만 가볼게요."
"벌써 가냐? 그럼 그 목걸이는 내가 처분..."
"아니에요. 이건 내가 가져갈게."

단호한 내 말투에 할머니는 잠시 나를 쳐다보다 못 말리겠다는 듯 한숨을 푹 쉬고는 집 안으로 들어갔다. 이윽고 다시 나온 할머니는 내 손에 무언가를 쥐여줬다. 낡은 열쇠였다.

"할머니 이건..."
"그 아이네서 찾은 게다. 부부 둘이 사라진 이후로 주인 없어진 집을 정리하다 나와서 내가 여지껏 갖고 있었다."

"뭐야아... 죽은 사람 물건 갖고 있는 거 아니라고 했으면서..."

"고것이 너한테나 그렇다는 거지! 으이그... 쯧쯧. 매정한 것. 인사도 없이 사라져놓고 한단 짓이 내 손주 집에 얹혀 살기라니."

툴툴대는 목소리에는 서운함이 묻어났다. 할머니가 이웃이던 그 여자를 얼마나 걱정했는지를 느낄 수 있었다.

"만나면 혼꾸녕을 내줘라. 아주."

"응! 할머니 안부도 전해줄게."

현관에 발을 들였다. 오래되지도 않았는데 낯설었다. 당연한 적막이 내 심장을 죄는 것 같았다. 올라오는 기차 안에서 열쇠로 목걸이를 열어봤다. 안에는 익숙한 얼굴의 남녀가 있었다. 매일같이 내 침대에 앉아있던 A와, 갈색 눈동자를 가진 TV 속에 있던 그 여자. 하트 모양 프레임 안에서 환히 웃고 있는 부부는 더할 나위 없이 행복해 보였다. 집에서 봤던 것과는 사뭇 다른 모습. 그들을 향한 내 인식이 달라졌기 때문일까.

TV 앞 탁상에 조심스레 목걸이와 초콜릿 몇 개를 올려놓았다. 음... 무슨 말을 해야 할지 모르겠네. 부탁받은 물건 전해드릴게요. 그 사람이 당신을 아주 많이 보고 싶어 했나 봐요. 몇 날 며칠 동안 나타나 얼마나 저를 괴롭히는지, 하하... 만나면 뭐라고 좀 해주세요. 우리 할머니랑 이웃이었다면서

요? 할머니도 당신 소식이 궁금하셨대요. 말도 없이 사라졌다며 많이 속상해하셨어요...

바뀌는 건 없었다. 아무도 없는 집 안에서 횡설수설하는 내 목소리가 다시 귀에 꽂히는 것이 이상했다. 큼큼... 민망한 기분에 헛기침을 몇 번 하고 그 자리를 벗어났다. 짐들을 정리하고, 목욕을 하고, 이른 저녁을 먹었다. 세탁기를 돌려놓고 머그잔에 커피 한 잔을 탔다. 식탁 앞에 앉으려는데 무언가 기시감이 느껴졌다. 어느 순간부터 시끄럽게 울리던 세탁기 소리가 들리지 않는다는 걸 깨달았다. 해가 지지 않았다.

고개를 돌려 침대 쪽을 본다. A가 침대 위에 앉아있다. 아무 말도 하지 않지만, 나는 내가 무엇을 해야 할지 알았다. 천천히 의자에서 일어나 그에게 다가간다. 그리고 A에게 열쇠를 내민다. 목걸이는 잘 전달됐을지는 모르겠지만 전해줬고요. 왠지 이 열쇠도 필요할 것 같아서 가져왔어요. 그리고 이거... 꼬깃꼬깃한 지폐 두 장을 내민다. 의아하다는 듯 A의 표정을 앞에 두고 변명하듯 말을 쏟아낸다. 이 정도면 두 분 같은 배 타고 갈 수 있어요? A가 웃음을 터뜨린다. 처음 보는 표정이었다. 그리고 암전.

몇 번 겪으니까 이젠 이것도 익숙하네. 어둠 속에서 고맙다는 말이 들린 것도 같았다. 이윽고 세상이 켜졌다. 침대 위에는 아무도 없었다. 천천히 TV 쪽을 보았다. 탁상 위에 올려둔 목걸이와 초콜릿들이 사라져있었다. 내가 가지고 있던 그들의 흔적이 모두 사라졌다. 다 끝났는데 이상한 기분이 들었다. 세탁기 소음이 귓가를 때렸다. 해가 지고 달이 떠오르기 시작했다.

백야

유하늘 **윤수빈(삽화)** 김정원 **이현주** 전예빈

해가 지지 않았다. 생각했던 것보다 훨씬 근사했다. 꾸역꾸역 몰려오던 잠은 지평선 끄트머리에 은은하게 걸려있는 해를 보고 죄다 달아났다. 저녁노을의 오렌지빛이 검은 바다 위에 녹아들고, 흰 눈으로 덮인 바닥은 옅은 남색으로 물든다. 이 순간 얼굴에 닿는 태양빛이 너무나 비현실적이어서, 울음이 나오려는 걸 겨우 참았다.

"안 찍을 거야? 찍고 싶어했잖아."

K가 옆 텐트에서 하품을 하며 걸어나왔다. 그제야 목에 거추장스럽게 덜렁거리던 낡은 디지털 카메라를 인식했다. 손이 제대로 움직이지 않는 건 추위 때문일까, 벅차오른 심장 때문일까? 겨우 카메라를 잡아 뷰파인더에 눈을 맞추고, 맞지 않는 초점을 심호흡 한 번에 담아낸다. 차갑게 식은 셔터 위에 손가락을 올리고, 지평선 너머를 향해 푸드덕거리며 날아가는 철새들의 대행진을 함께 응시하며, ….

"…그럴 줄 알았다. 이리 와, 텐트 걷는 거나 도와줘."

고개를 끄덕였다. 지평선에서 눈을 떼고 K의 목소리를 따라갔다. 여즉 환하게 비치는 햇빛과 맑은 그림자를 바라보며. 반대편 산에서, 달이 떠올랐다.

밝은 하늘에 간신히 떠있는 달의 존재감은 너무 옅었다. 지평선에 걸린 태양이 하늘을 주황빛으로 물들이고 물들이다 달까지 집어삼킬 수 있을 것 같았다. 영원할 것 같은 강렬한 색채. 그러나 이 광경은 순식간에 지나가버린 다는 것을 알았다. 저 태양이 지평선 아래로 꺼지는 순간...

"뭐해? 더 지체되면 어두워져. 거기 끝에 좀 잡아줘."

밤이 되고 어두워지면, 내려가는 길을 찾기가 어려울 것이다. 가만히 저편에 뜬 달을 바라보았다. 초승달이 뜨는 날이라, 빛이 길을 비춰주는 것을 기대하기는 어렵겠지. 나쁜 시계에 눈길까지 미끄러워 자칫하면 크게 다칠 수도 있었다. K가 시킨 대로 천 끄트머리를 팽팽하게 잡았다. 셋 세면 터는 거야. 하나, 둘, 셋. 펄럭- 텐트 겉면에 묻은 눈과 물기가 튀었다.

"어때. 영감은 좀 됐어?"

텐트는 설치하고, 철거하기 간단한 구조였다. 뉘엿뉘엿 사라지기 시작하는 태양에 시선을 고정하고 있는데, K가 물었다. 짐 정리를 전부 마친 모양이

었다. 응, 여기까지 오길 잘한 것 같아. 사진 같이 확인해볼래? K는 대답 없이 내 옆으로 붙어왔다. 카메라 버튼을 눌러 앨범에 들어갔다. 주홍 색채의 사진 한 장이 화면에 가득 찼다. 태양 빛이 번졌고, 철새 떼는 흔들려있었다. 눈으로 직접 봤던 것만큼 예쁘지는 않다고 생각했다.

카메라 화면은 흐릿했다. 아무렴 두 눈으로 보는 것보다야 그렇겠지만, 화면 속 그 무엇도 실제의 풍경을 조금도 담아내지 못한 것이 아쉬웠다. 찍을까 고민하던 그 흔적마저 사진에 남은 것 같았다. 왜 한번에 찍어내지 못했을까. 왜 셔터를 누르기 직전까지도 머뭇거렸을까. 나는 이 흐릿한 카메라 화면과, 셔터와, 주저하던 내 손가락 마저도 이 상황과 닮아있다는 생각이 들었다. 가볍게 셔터를 누르지 못한 이 마음도, 가볍게 끊어내지 못한 이 상황도.

"갈까?"

해는 점점 저물어갔다. 더 지체한다면 하산하는 데 어려움을 겪을 것이란 걸 알고 있었다. 알고 있었음에도 발은 떨어지지 않았다. 아까 보았던 선명한 풍경은 카메라에도 남기지 못하고 사라져갔다. 빛이 점점 사그라들었다. K는 정리한 텐트와 짐을 들고 나를 바라봤다. 내 짐만이 덩그러니 남겨져 있다. 나는 다음 행동으로 그 짐을 줍는 것을 선택하지 않았다. 대신 입을 열었다. 평소와 같은 어투로, 평소와 같은 상황에서. 평소와는 다른 선택을 했다. 나는 셔터를 누르기로 다짐했다.

"잠시만."

"응?"

"조금만 더 있다 가면 안 될까?"

그래. 나는 셔터를 누르기로 했다. 노을과 석양을 흔들림 없이, 온
전히 담아내기 위해 난 셔터를 누르기로 했다. 그러나 나의 말을 들
은 K의 표정은 굳어지기 시작했다. 이미 해는 저물고 있었고, 더 지체
하다간 그대로 여기서 꼬박 하루를 더 보내게 될 테니까. K는 한숨을
푹 쉬더니 내게 말했다.

"더 머물면 어두워져."

"알아."

"이미 텐트도 다 접었고 짐도 다 정리했어."

"그것도 알아."

이미 다 정리한 짐과 텐트를 다시 펼치기엔 어려움이 있었다. 나
는 그걸 알았다. 하지만 알고 있음에도 K에게 말했다. 조금만 더 있
다가 가자고. 이번에는 고민하지도 않고 주저하지도 않은 채 선명한
사진을 촬영하고 싶다고. 나는 예전부터 저녁노을이 뿜어내는 태양
빛을 내 카메라에 담고 싶어 했다. 그건 K도 잘 알고 있는 사실이었

다. 하지만 그런 나의 소망과는 달리 나는 항상 제대로 된 석양을 담아내지 못했다. 노을이 주는 영감의 파도를 온전히 눈으로만 즐긴 까닭이었다. 눈으로만 즐기다 문득, 목에 걸린 낡은 카메라가 떠오르면 그제야 카메라를 손에 쥐고 떨리는 손으로 노을을 찍었다. 그러면 그 결과물은 항상 처참했다. 손이 쉴새 없이 흔들린 탓에 번진 노을빛, 그리고 주변 풍경. 그런 결과물을 받아들고도 나는 돌아서야만 했다. 어두워지면 내가 집에 가기 힘들어지니까. 서둘러 짐을 챙기고 가야만 했으니까. 하지만 오늘은 이대로 돌아가고 싶지 않았다. 저 타오르는 석양을, 곧 사라져 없어질 태양의 마지막을 오늘은 꼭 제대로 담고 싶었다.

나는 K를 바라보았다. K를 바라보는 나의 시선은 올곧았다. 이대로 절대 돌아가지 않겠다는 나의 의지를 보여주기 위해, 나는 K에게 시선을 고정했다. K도 그런 나의 눈을 피하지 않았다. 우리는 한동안 서로를 바라보았다. 그러다, 마침내 K가 입을 뗐다.

"그래. 조금만 더 있다가 가자."
"..정말?"
"응. 그러니 얼른 찍어. 찍고 싶어 했잖아."

찰칵,
흔들렸다.

찰칵, 이번에도 흔들렸다. 얼어버린 손 때문이 아니었다. 이건 욕심과 주저가 섞인 결과물이었다. 흔들린 사진들을 전부 지워버리고 다시금 뷰파인더를 눈에 대길 몇 번이었다. 망설이고, 또 망설였다. K는 될 때까지 기다려줄 작정인 듯 옆에 자리를 잡고 앉아 하품을 했다. 하지만 태양은 기다려주지 않을텐데. 가장 해가 오래 보인다는 이곳에서도 질 때가 되면 지고 마는 것이 태양인데. 마음이 조급해지니 더욱 흐트러졌다. 눈으로 보는 것의 절반도 담아내지 못하던 것이 이제는 작은 조각조차 담아내지 못하게 되었다.

"…가자."

"별로 마음에 안 드는 것 같은데."

"더 안 나올 것 같아. 해 지면 이 설산에서 어떻게 내려가려고."

"걱정하지 말고 해 질 때까지 찍어. 끝까지."

K는 그렇게 말하며 시계를 확인하고 다시 앉았다. 가이드에게 안전하게 내려갈 수 있는 팁이라도 얻은 걸까. 가이드와의 대화는 주로 K의 몫이었으니 방법이 있겠거니 생각했다. 또 다시 그에게 의지하고 말았다는 생각이 들었다. 내가 가고 싶다고 한 여행이었고, 내가 보고 싶다고 한 북위도의 노을이었는데 이번에도, K에게 모든 걸 맡기고 말았다. 그렇게 해서 사진이라도 얻었다면 괜찮았을텐데 그것조차 못했으니 새삼스레 볼 낯이 없었다. K는 내가 첫 사진을 찍지 못하고 카메라를 내렸을 때 '

그럴 줄 알았다.' 라고 말했다. 그는 알고 있었다. 내가 망설이리라는 걸.

눈 앞에 상상하던 아름다운 것이 있으면 나는 그걸 차마 박제하지 못하고 풀어주곤 했다. K는 그런 나를 아주 잘 알고 있었다. 온전히 담아내지 못하리라는 것도. 그런 버릇은 나를 향한 불신에서 비롯되었다. 내가 아름다운 것을 온전히 보존할 수 없는 실력의 소유자라는 데에서부터. 빠르게 돌아가는 세상에서 그 귀한 순간을 잡아챌 수 없는, 그런 사람이라는 데에서부터.

"미안. 정말 내려가도 될 것 같아. 시간 없다니까."
"지금 시간을 봐. 해가 지려면 벌써 져야했어."

"뭐? "

그제야 풍경에 가려 눈에 들어오지 않던 시간이 보였다. 자정이 조금 더 넘은 시각. 진작에 해가 져야했을 시간에, 해가 여전히 끄트머리에 걸려 은은하게 빛나고 있었다. K가 자리에서 일어났다.

"백야야."

시간은 많단 소리야. 노을은 아니더라도, 끄트머리에 걸린 해는 수십

장이고 찍을 수 있어. 네가 원할 때까지, 네가 할 수 있을 때까지.

그 이후로 쉴새없이 셔터를 눌렀다. 해가 도로 위로 튕겨올라올 때까지. 시간에 쫓기지 않고 이렇게 누를 수 있을 만큼 셔터를 누른 게 언제였는지 기억도 나지 않았다. 낮과 밤 사이 그 아름다운 시간에 그대로 멈춰 박제된 듯한 황홀감에 사로잡혔다. 눈물이 날 것처럼 아름답던 그 감정은, 비현실의 세상으로 들어감을 알리는 표시였다는 생각까지 들 만큼.

비로소 뒤를 돌아 K를 보았을 때, K가 손을 내밀었다.

"마음에 들어? "
"엄청나게."

집으로 돌아가는 비행기는 고요했다. 어두컴컴한 내부에서도 사진기 속 태양은 찬란했다. 발 아래 수평선에서 비로소 온전한 달이 떠올랐다.

깊은 숲으로 들어간 아이

윤수빈 김정원 유하늘 **이현주** 전예빈

그날은 유독 해가 지지 않는 날이었다. 평소라면 해가 지고도 남을 시간이었다. 마을 근처 숲 입구에서 갈색 머리카락을 양 갈래로 엉성하게 땋은 한 소녀는 같이 놀던 마을 아이들이 모두 집으로 돌아가자, 자신도 그래야 할지 고민하고 있었다. 먼저 돌아간 아이들은 모두 귀가하면 따스하게 반겨줄 가족과 포근한 음식이 기다리고 있었기에 들뜬 채 소녀에게 작별 인사를 건넸다. 소녀는 그렇게 다시 혼자가 되었다.

소녀의 부모님은 몇 달 전 마차 사고로 돌아가셨다. 저녁 늦게까지 일터에서 돌아오지 못하는 이모가 유일한 가족이었기에 이 시간에 집으로 가면 혼자였다. 이모가 돌아올 때까지 혼자 있는 것도 이제 익숙해져야 한다는 걸 소녀는 알고 있었다. 하지만 자신이 집에 돌아가면 반겨줄 이가 아무도 없다는 것을 받아들이기에는 아직 어렸다. 그렇게 뭉그적대고 있을 때 숲 안쪽에서 희미하게 반짝이는 무언가가 날아다니는 것이 소녀의 눈에 들어왔다. 마침 집에 가기 싫었기에 소녀는 갑자기 호기심이 발동한 척하며 반짝이는 것이 무엇인지 확인하기로 했다.

그렇게 한참 동안 빛을 따라 숲 깊숙이 들어가 발견한 것은 연못이었다. 하지만 평범한 연못은 아니었다. 이상한 낌새를 느낀 소녀는 나무에 제 몸을 숨겨 연못 쪽을 자세히 바라보았다. 그곳에는 칠흑색의 긴 머리카락을 가진 또래 아이가 샘에서 멱을 감고 있었다. 자신과 비슷한 나이대의 아이를 보고 소녀는 경계심을 풀고 다가가 말을 걸려고 했다. 그때 갑자기 그 아이에게 어디서 튀어나왔는지 모르겠는, 등에 이상한 날개를 단 무언가가 날아갔다. 소녀는 너무 놀라 다시 나무 뒤로 몸을 숨겼다. 그리고 아이가 걱정되어 다시 샘 쪽을 돌아봤다. 그 순간 소녀는 비명을 지르지 않기 위해 제 입을 손으로 막았다. 아까까지만 해도 없었던 날개가 처음부터 거기에 있었다는 듯 그 아이의 등에 달려있었다. 그리고 귀는 동화에 나오는 악마들처럼 뾰족해졌다. 검은 머리의 아이는 자신에게 다가온 작은 무언가와 알수 없는 언어로 대화를 나눴다. 평범한 인간 같지 않은 모습에 소녀는 겁이 났다. 그리고 마을 누군가에게 들었던 경고를 그제야 떠올렸다.

'해가 지지 않는 날 반짝이는 것을 쫓아 숲 깊은 곳으로 들어가면 안 된다. 그것들은 너희를 인적이 드문 곳으로 유인하고 잡아먹을 것이다.'

소녀는 그것들로 추정되는 무리에게 들키지 않게 조용히 그 장소를 빠져나오려 했다.

소녀는 천천히 뒷걸음질쳤다. '그것들'에게서 눈을 떼지 못한채. 뒤를 보

이는 순간 그들이 따라붙을 것만 같았기 때문이다. 한걸음, 두걸음. 떨리는 발이 흙바닥 위를 디뎠다. 그리고…

빠직-

나뭇가지 밟히는 소리가 울렸다. 뾰족한 귀를 가진 검은머리의 아이가 소녀가 있는 쪽을 돌아봤다. 소녀에게는 그 짧은 순간이 영원같았다. 눈이 마주쳤다는 걸 인지한 순간 소녀는 뒤돌아 달리기 시작했다. 도망치는 내내 수만가지 생각이 머릿속을 스쳤다. 어떡하지, 분명 눈이 마주쳤어. 쫓아올까? 어쩌면 내 얼굴을 기억할지도 몰라. 무사히 도망쳐도 집까지 따라오면… 소녀는 더 달리지 못하고 자리에 주저앉았다. 심장께가 아파와 가슴을 부여잡고 숨을 헐떡였다. 소녀는 어려서부터 유달리 몸이 약한 편이었다. 오래 달리지 못했고, 잔병을 앓는 일이 잦았다. 그날도, 원래 다같이 마차를 타고 가야 했던 곳이었는데… 내가 감기로 앓아눕는 바람에… 눈앞이 흐려지고 몸이 기울었다. 쓰러졌다고 생각했는데 이상하게도 머리가 바닥에 닿는 느낌이 들지 않았다.

낯선 하늘이 보였다.
등 닿은 곳에서 푹신한 젖은 풀 냄새가 났다. 아무리 정신이 없어도 집이 아니라는 건 알 수 있었다. 시야 바깥쪽에서 인기척이 났지만, 발소리는 나지 않았다. 이끼가 소리를 삼켰거나, 애초에 걸어다니는 누군가가 사람이 아니거나 둘 중 하나이리라는 생각을 했다. 어쩌면, 잡아먹기 위해 간을 보는 숲 속의⋯. 소녀는 거기까지 생각하고 울음을 터트렸다. 미처 소리는 내지 못하고 뚝뚝 울기만 했다. 울음을 참느라 얼굴이 새빨개져서 인기척이 더 가까이 다가오는 걸 알지 못했다. 알아도 뭐, 마지막이니 울게 놔두라지. 그런 생각을 하자마자 이제는 아주 소리까지 내어 울었다. 인기척이 가까워지고, 결국 입을 틀어막을 때까지.

"쉿, 아직 시끄럽게 하면 안돼."

사람의 말 소리. 그러나 어딘가 저 멀리서 들리는 듯한 아득한 울림. 넋을 놓으려는 찰나 검은 머리칼의 아이가 시야에 들어왔다. 소녀의 울음이 뚝 그쳤다. 아이가 손가락으로 쉿, 하고 다시 표시를 해보였고 소녀는 잔뜩 움츠러든 채 고개를 끄덕였다. 아이는 소녀의 입을 막고 숲 저편을 응시했다. 소녀도 곧 아이의 시선이 닿는 곳을 따라 응시했다. 그제야 나무 그늘 뒤에 숨어 움직이는 사람의 형상이 보였다. 소녀는 구해달라고 외치고 싶었으나, 입이 움직이려는 걸 알아챈 아이가 더욱 거칠게 막아섰다.

"안돼. 조금만 더 기다려."
형상이 움직이기 시작했다. 소녀의 눈에 눈물이 그렁그렁 맺혔다. 아이는 계속해서 형상을 응시했다. 그 사람은 나무와 나무 그림자 사이로 천천히, 천천히 움직였다. 아무리 움직여도 등이 보이지 않았다. 소녀는 그제야, 주변의 나무 그림자에 비해 사람의 형상이 너무나 크다는 것을 깨달았다. 숨이 턱 멎었다. 어디선가 서늘한 바람이 불어오고, 형상은 나무 두어 개를 건너가더니 그대로 사라졌다. 아이가 그제서야 입을 막고 있던 손을 떼어냈다.

"미안해. 많이 놀랐지. 저 녀석들은 어린아이의 소리에 특히 예민하거든."

소녀는 몸이 자유로워지자마자 뒤로 급하게 기어갔다. 나무 뿌리가 길을 막았다. 두려운 와중에도 아이의 목소리가 지나치게 좋다는 생각을 했다. 나쁜 것보다는 신성한 것에 가까운 울림이었다. 아이가 머리칼을 귀 뒤로 빗어넘겼다. 뾰족한 귀가 다시 모습을 드러냈다. 이상하게도 이전만큼 무섭게 느껴지지 않았다. 주체할 수 없이 떨리던 몸이 입을 열고 말을 할 수 있을 정도가 되었다.

"누구…세요?"

아이의 물음에 소녀는 잠시 머뭇거리는 듯하더니 무어라 중얼거렸다. 소녀가 작게 웅얼거리기도 했지만, 애초에 알아들을 수 없는 말이라는 것을 아이는 깨달았다. 소녀의 주위에는 무언가 반짝이는 것이 날아다녔다. 그때 본 그 형상이었다. 날개가 달렸고, 작고, 반짝이고…

"요정…?"

소녀는 자신이 입 밖으로 말을 꺼낸 줄도 모르고, 아까 울었다는 것을 잊은 듯 멍하니 소녀를 바라봤다. 그런 아이의 모습에 소녀는 작게 웃음지었다. 그러자 아이는 자신의 행동을 깨달은 듯 작게 놀랐고, 아이와 소녀는 함께 웃어넘겼다.

"왜 이 깊은 곳까지 들어온 거야?"

소녀는 말했다. 아이는 생각했다. 여전히 목소리가 예쁘다는 것을. 그리고 대답했다. 무언가 반짝이는 것을 따라 들어왔어. 소녀는 다시금 말했다. 동네 어른들에게 반짝이는 것을 좇아 숲속으로 들어오면 안 된다는 말을 듣지 못한 거야? 소녀는 아이가 익숙한 듯했다. 아이의 입장에서 생각해보면, 반짝이는 것을 따라 숲속으로 들어오니 소녀가 있었고, 정신을 차린 뒤에는 어떤 형상을 피해 숨어 있어야 했다. 아이는 상황을 인지하고 나니 무서워진 듯 눈물을 글썽였다. 집으로 돌아가봐야 아무도 없는데, 이대로 사라져도 아무도 신경 쓰지 않을 것 같았다.

소녀는 울먹이는 아이를 보고 당황한 듯 주변의 것들을 더 반짝이게 만들었다. 아이가 관심을 보이자 손가락을 돌려 바람을 불게 만들었고, 바람이 불자 주변의 꽃잎이 날렸다. 아이는 그 광경을 보고 울음을 그쳤다. 그 꽃바람 속의 소녀가 너무나 아름다웠다. 바람에 휘날리는 칠흑색의 풀어진 머리칼과 하늘거리는 옷자락, 소녀를 따르는 반짝이는 것들까지. 그리고 소녀 또한 아이를 보며 그런 생각을 했다. 얼기설기 묶인 머리칼은 아까 젖은 풀잎 위에서 물방울을 먹어 반짝거렸고, 소녀를 보며 반짝이는 아이의 눈동자는 참 파랬다. 파란 눈동자가 저 맑은 하늘과 비슷하다는 생각을 하려는 찰나, 저 멀리서 무언가 소리가 들려왔다. 소녀가 돌아보니 아까 본 그 그림자와 같은 형체였다.

소녀의 가슴은 또다시 쿵쾅거리기 시작했다. 저 그림자는 분명, 어른들이 말한 '그것들'이었다. '그것들'은 제 눈앞에 있는 반짝이는 존재와는 차원이 다른 어둠을 뿜어내고 있었다. 소녀는 두려움에 떨기 시작했다. 저들이 날 발견하면, 난 저들에게 갈기갈기 찢겨버리고 말 거야. 소녀의 마음에 가득 들어찬 공포심은 소녀의 온몸을 흔들었다. 그리고 그 떨림은 아이에게도 닿았다. 아이는 불안해하는 소녀를 다독이며 말했다.

"괜찮아. 소리 내지 않으면 널 볼 수 없으니까."

다정한 말에 소녀는 조금이나마 위안이 되었다. 하지만 불안한 표정은 감출 수가 없었다. '그것들'은 너무나도 거대했고, 소녀가 감당하기엔 괴상하고 기이한 존재들이었다. 소녀의 불안한 표정을 눈치

챈 아이는 소녀의 볼에 손을 가져다 대며 말했다.

"숲을 나가면, 다시는 이 숲에 오지 마."

소녀는 의아하다는 듯 고개를 갸웃거렸다. 다시는 오지 말라고 하는 아이의 말이 너무나도 단호한 까닭이었다. 소녀는 물었다.

"왜요?"
"여긴 네가 오면 안 되는 곳이야. 자칫하단 저들에게 죽을 수도 있어. 그러니, 다신 오지 않기로 약속해."

소녀는 죽을 수도 있다는 말에 잽싸게 고개를 끄덕였다. 그리고 곧장 그녀가 알려준 길을 따라 앞도 제대로 보지 않은 채 뛰어갔다. 숲을 빠져나왔다고 생각한 순간 정신을 차려 보니 자신은 차가운 집 바닥에 쓰러져 있었다. 그건 꿈이었던 걸까. 꿈이라 하기에는 너무 생생했다. 소녀는 기이한 존재들을 떠올리며 다시는 숲 근처에 얼씬하지 않겠노라 다짐했다.

악몽을 꾼 것처럼 자신에게 일어난 일들이 무서웠기 때문에 소녀는 바닥에서 일어나자마자 이모를 찾았다. 그러나 집을 구석구석 다녀도 보이지 않았다. 결국 밖으로 나가 사람들에게 물어보며 이모의 행적을 따라갔다. 그렇게 도착한 곳이 마을 언덕 끝 쪽에 있는 잡동사니 창고였다.

'이런 곳은 왜 온 거지?'

이상하다고 생각하면서 낡은 문을 열려 했다.

"그래서 그 애는 어쩔 거야?"

낯선 남자 어른의 목소리가 들려와서 문을 열려 했던 손이 얼어붙었다. 지금 문을 열면 안 될 것 같다는 느낌이 들었다.

'이모 연애하나?'

소녀는 손을 거두고 귀를 문 가까이 댔다.

"그 애?"

"네 조카 말이야"

"아~그 짐 덩이?"

이모의 서늘한 목소리와 내용에 소녀는 잠시 귀를 의심했다.

"원래 언니네 부부랑 같이 죽을 예정이었는데 애가 운이 좋은지 하필 그날 그 마차를 안 탔더라고?"

소녀의 얼굴빛이 창백해졌다. 온 몸이 싸늘하게 식어가는 것이 느껴졌다.

"언니 돈만 먹으려고 했는데 귀찮게 애도 떠맡게 되고 짜증 나"

생각이 정리되기도 전에 웃음소리가 들려왔다.

"그래도 그 애 허약하니까 병으로 위장해서 언니 곁으로 보내면 될 것 같은데?"

소녀는 곧장 문에서 귀를 뗐다. 그리고 돌아서서 언덕 아래로 미친 듯이 뛰어 내려갔다. 멈추지 않고 그렇게 하염없이 달리다 숨이 차고 온 몸이 떨려오자 그제야 멈추려 했다. 그러나 다리 힘이 풀려 그대로 앞으로 굴러 넘어졌다.

잠시 기절했었는지 눈을 떠보니 숲 입구에 쓰러져 있었다. 소녀는 한계까지 혹사당한 몸을 힘겹게 일으켰다. 그리고 곧 시야가 일그러졌다. 눈물이 비 오듯 소녀의 뺨을 타고 흘러내렸다. 온 몸이 두들겨 맞은 것처럼 아프긴 했지만 그것 때문만은 아니었다.

그렇게 한참을 서서 목 놓아 울었다. 그러자 숲 안쪽에서 요정의 목소리가 들렸다.

"어서 내가 있는 곳까지 들어오렴"

저 멀리서 무언가 빛나고 있었다.

"내가 도와줄게"

요정의 다정한 목소리가 들렸다. 저 목소리가 요정의 것이 아니라도 상관없었다. 소녀는 망설임 없이 숲으로 들어갔다. 숲 위로 떠오른 달이 소녀의 앞길을 환하게 비췄다.

환상

이현주 김정원 윤수빈(삽화) 유하늘 전예빈

벌써 3일째 해가 지지 않았다. 새벽 한 시와 오후 세 시의 밝기가 같았다. 이 기상천외한 현상에 전문가들은 무어라 떠들어댔지만 알 수 있는 것은 아무것도 없었다. 전문가들의 예상은 전부 들어맞지 않았다. 해가 지지 않아 지구의 온도가 높아질 것이라는 추측도, 지구의 자전이 멈췄다는 추측도 전부 틀렸다. 이상하게도 지구 전체에서 해가 지지 않았고 이상하게도 지구의 온도도 높아지지 않았다. 지구 밖에서 본 지구는 평소처럼 자전했고, 공전했으며, 태양의 빛이 비치는 곳과 비추지 않는 곳의 경계가 명확했다. 오존층을 지나 지구로 들어오기만 하면 세상 어느 곳에 가더라도 밝았다. 이러한 현상에 대해 제대로 말할 수 있는 사람은 아무도 없었다. 누군가는 자신이 미쳤는가를 의심했고, 누군가는 멸망론을 펼쳤다. 누군가는 대통령을 욕했으며 누군가는 신께 저주했다. 그리고 무교인 나 또한 신께 기도했다. 감사합니다, 신님! 25년 살면서 한 번도 제 얘기를 들어주지 않으셨는데 드디어 제 기도를 들어주셨군요! 그것도 아주 비현실적이고 가장 좋은 방법으로! 해가 지지 않은 지 3일째 되는 날, 나는 그녀를 만나러 집을 나섰다.

오전 12시였다. 적당히 따뜻한 날씨였다. 본래라면 달이 가장 높아야 할 시간대였지만, 지금은 태양이 하늘에 붙박혀 언제까지고 쫓아오겠다는 듯

나를 노려보고 있다. 제발 끝까지 따라와 주길 마음속으로 빌었다. 도착하는 데 약 한 시간... 차가 막히는 등, 변수를 고려해도 오전 2시 전에는 도착할 수 있겠군. 그렇게 여기며 차 키를 꺼냈다. 낡아빠진 손뜨개 인형이 차 키에 애처롭게 매달려있었다. 차에 올라타, 내비게이션에 주소를 입력했다.

그녀는 내 어린 시절 첫 번째 친구였다. 부모님은 직업 특성상, 밤에 외출해서 아침에 돌아왔다. 어른들은 어린 나 홀로 밤을 보내는 것에 대해 염려했지만, 나는 그 집에서 무서웠던 적이 없었다. 그녀는 모두가 외출한 야심한 시각에, 집안 어디에선가 나타났다. 깜깜한 것을 무서워했던 나를 위해, 그녀는 밝은 방에서 내가 잠들 때까지 이야기를 들려줬다. 수많은 이야기를 들었지만, 가장 기억에 남는 것은 그녀가 살던 곳에 대한 이야기였다. 이곳은 원래 이렇게 하늘이 까만 거야? 아니, 밤에만 그런 거야. 밤이 뭔데? 그곳에는 밤과 낮이라는 개념이 없다고 했다. 밤에도 해가 지지 않는 것이다.

나는 가족들에게 내 유일한 친구를 소개해 주려 했지만, 그들은 어린아이의 상상력에 감탄하며 웃어넘길 뿐이었다. 그러다 집에서 발생한 가스폭발 사고. 눈을 떴을 때는 병원이었다. 부모님은 날 껴안고 안도하며 울었다. 그 애는 어딨나요? 제 옆에 있었던 여자아이요. 사람들은 사망자가 없어서 다행이라고 말했다. 나는 그녀가 밤이 하얀 그곳으로 돌아갔을 것임을 직감했다. 인사도 제대로 못했는데… 팔에는 짙은 흉터가 남았다.

짙게 선팅한 앞 유리에 태양빛이 내리꽂힌다. 길이 낯선 것이 많이 바뀌었기 때문인지, 그저 그림자까지 지워버릴 정도로 날카로운 햇빛에 눈이 멀 것 같아서인지는 알 수 없었다. 새 집이 들어섰을까, 여전히 폭발의 잔해가 남은 폐허일까. 새 가족이 들어서서 살고 있다면 뭐라고 말해야할까. 이 곳에 약 십 수 년 전에 살던 사람인데, 두고 온 것이 있다고? 만날 사람보다는 두고 온 것이라고 하는 게 더 낫겠다는 생각이 든다.

해가 지지 않는 초유의 사태에 내 머릿속에 먼저 떠오른 건 짙은 흉터에 박제되고 만 어린 날의 추억이었다. 그러니까, 그 아이가 말한 '밤이 하얀, 낮도 밤도 없는 세상'과 지금의 세상이 너무나 닮아서. 이 비현실적인 상황을 내 나름대로 이해하고자 노력해 내린 결론이 그런 것이었다. 어쩌면, 어떤 문제가 생겨 밤이 하얀 세상으로 이 지구의 사람들 전체가 옮겨져버렸을지도 모른다고. 그리고 그건, 어쩌면 그 날 이후 내 팔에 박제되고 만 소망 때문일지도 모른다고. 나는 그 아이가 말하는 세상이 늘 궁금했으니까, 그 아이가 떠난 뒤로 늘 인사 한 마디를 건네고 싶었으니까. 물론 이런 방식을 생각한 건 아니긴 했지만, 여튼 아주 고맙습니다, 이름 모를 신이시여.

가설은 이렇다. 그 아이가 낮과 밤이 있던 세상에 올 수 있었던 이유는 그 세상과 이 곳이 어떤 조건을 충족했기 때문이었을 것이다. 그러므로 가장 단순한 조건인 '장소의 일치'로 방향성을 잡아 이전에 살던 집

에 가본다. 그 안에 사는 사람이 그 아이, 그녀이길 간절히 바라면서. 만약 이 모든게 단순한 변덕이나 멸망의 징조 따위가 아니라 나의 소망을 실현시켜주기 위함이 맞다면, 그녀는 분명 그곳에 있다.

"만나면 뭐라고 말을 걸어야할까…."

잡다한 생각을 이어가다보니, 어느새 내비게이션이 목적지에 도착했음을 알렸다. 근처 갓길에 아무렇게나 차를 주차하고 문 앞에 섰다. 이걸 두드리면, 무언가 돌이킬 수 없게 되리라는 생각이 들었다. 그녀가 있든, 없든 간에.

문은 신기하게도 예전 그대로였다. 분명 다 타고 없어졌을 텐데…? 집의 외관도 집을 둘러싼 환경도 모두 그대로였다. 그렇다면 내가 세운 가설이 들어맞는다는 얘기일까? 여기에, 그녀가 있을까? 나는 떨리는 손으로 조심스레 문을 두들겼다.

똑똑-

나무를 두드리는 둔탁한 소리가 났다. 나는 그 둔탁한 소리를 이어 집 안에서 누군가의 소리가 나길 바랐다. 그러나, 내 바람이 무색하게도 집 안에서는 아무런 소리도 들리지 않았다. 어째서지? 다 타고 진작에 없어졌어야 할 집이 그대로 남아있다. 이러한 현상은 그 아이가 있던 세계와 내가 있던 세계가 연결되었다는 나의 가설을 증명

해주는 것이나 다름이 없었다. 그러나, 그 아이만 없다. 그 아이가 살던 세계에 닿았고, 그 아이와 살던 집이 존재했지만, 그녀만 없었다. 나는 절망 섞인 한숨을 내뱉었다. 어째서 너만 없는 걸까. 내 모든 기대감이 한순간에 무너지는 순간이었다.

그렇게 돌아가려는 찰나, 집 안에서 무언가 떨어지는 소리가 났다. 뭐지? 분명 아무도 없을 텐데? 나는 서둘러 문고리를 잡고는 문을 열려 시도했다. 문은 잠겨있지 않았고, 문고리는 부드럽게 돌아갔다. 잠겨있을 거라고 생각해 힘이 들어간 나의 손이 무색하게도 문은 쉽게 열렸다. 그리고 쉽게 열린 문 너머 보인 것은,

"..너는,"

그녀였다. 내가 그토록 찾고 또 찾았던 아이. 예전과 같은 얼굴, 그렇지만 훌쩍 커버린, 나의 그녀였다.

문을 열자 그녀도 당황한 눈치였다. 그 당황 속에 재회에 대한 기쁨이 조금은 서려 있다는 것이 느껴져 안도했다. 재회의 인사를 하고, 따뜻한 차를 끓여 나란히 앉았다. 그동안 어떻게 지냈어-,와 같은 말은 하지 않았다. 어차피 의미 없는 일이었다. 문을 두드렸을 때 열지 않은 이유는 간단했다. 집 밖에서의 그 어떤 것도 집 안에 영향을 미칠 수 없다. 집 안에서는 집 밖을 볼 수 없고, 밖의 소리를 들을 수 없으며, 집 안에서 밖으로 향하는 문을 열 수

조차 없다. 그게 '이 세계'의 규칙이었다. 얼마 전, 문이 저절로 열린 것을 제외하고.

"아마 그것 때문일 거야."

이 집은 '이 세계'와 '그 세계'의 문이었다. 그녀만이 오고 갈 수 있으며, 그래봤자 그녀가 발 디딜 수 있는 곳은 이 집뿐이었다. 그런 계약이었다. 집이 한 번 불탄 후 그녀가 이 세계로 오기 위한 계약에는 그런 조건이 붙었다. 애초에 강제로 세계 간의 문을 연 것이기 때문에, 오직 이 집만 되돌려놓는 것, 오직 이 집 안에서만 있을 수 있는 것, '이 세계'에 영향을 주지도, 받지도 못한다는 것뿐이었다. 그 얘기를 듣고 또다시 안도했다. 내가 그녀를 생각하는 만큼 그녀도 날 생각했다는 것 같아서. 그녀는 가끔 이 집으로 와 휴식을 취하기도, 나와의 추억을 회상하기도 했다고 말했다. 그러던 중, 갑자기 문이 열렸다. 3일 전이었다.

갑자기 열린 문으로도 밖의 세계는 볼 수 없었다. 그저 문이 열렸을 뿐이었다. 아무 이유도 없이 그저 열린 문은 조금 뒤 다시 닫혔지만, 이 잠깐의 예외는 이 세계에 변화를 가져다주었다. 그 세계가 이 세계를 조금씩 잠식하고 있었다. 해가 지지 않는 것은 그 반증이었다. 그리고 동시에, 그녀 또한 그녀의 세계로 돌아갈 수 없었다. 이 집이라는 문이 닫혀버린 것임과 동시에, 세계 간의 문은 활짝 열린 셈이었다.

"딱 오늘까지 기다리려고 했어. 이 집을 불태우면 원래 세계로 돌아갈 수 있거든."

이 집은 말 그대로 계약서였다. 그 계약이 깨졌다. 때문에 이 집을 불태우면 원래 세계로 돌아갈 수 있었다. 하지만 그렇게 하지 못했다. 딱 3일만 기다려 보겠다고 다짐했단다. 3일 동안 마음 정리를 하는 사이, 또 무언가 예외가 일어나길 바랐단다.

그렇게 해가 지지 않은 지 4일째가 되는 날, 우리는 결정했다. 이 세계를 떠나기로. 해가 지지 않는 그 세계로 떠나기로. 이 집이 이 세계에의 예외였던 것처럼, 내가 또다시 그 세계의 예외가 되기로. 그녀가 조심스럽게 이 이야기를 내뱉었을 때, 나는 생각했다. 그거 멋진데? 사람이 살면서 TV 한 번 나오기도 힘든데, 전 세계에서 아무도 할 수 없는 일을 내가 한다는 거잖아? 그녀의 말을 듣자마자 승낙했다. 고민할 이유조차 없었다. 곧 그녀가 조심스럽게 무언가를 내밀었다. 어렸을 때 그린 그림이었다. 역시 이 집에 있었구나. 당연하지. 이 세계의 집은 모조리 불타버렸지만, 이 세계의 예외인 이 집은 네가 되살려냈으니. 그녀가 내민 종이를 받아든 내 손에는 여전히 큰 흉터가 남아있었다. 그 세계에서는 화상이라는 개념이 없다고 말했다. 화상이 일어날 수 없어서 흉터 또한 존재하지 않는단다. 그것도 멋지다고 생각했다. 내가 그 세계의 예외가 되었다는 것이 스스로 괜히 멋졌다. 좀 철이 없나? 생각했지만 신경 쓰이지 않았다. 이제 더 이상 중요한 것은 그런 게 아니었기 때문이었다. 나는 결정했고, 우리는 결정했다.

"가자. 달이 없는 세상으로."

집 전체에 불을 질렀다. 이 마법 같은 일이 내 눈앞에서 일어나고 있다는 것이 새삼 놀라웠고 참 신비로웠다. 집의 가장자리부터 서서히 불타기 시작했다. 정말 집이 그림처럼 불탔다. 나는 주머니에서 무언가를 꺼냈다. 차에 매달려있던 작은 곰 인형이었다. 이거, 기억나? 네가 만들어준 거잖아. 그녀는 기억난다는 듯 가볍게 웃었다. 점점 불길이 우리의 발 앞으로 번졌다. 우리는 꼭 끌어안았다. 눈을 감았다. 그리고.

눈을 뜨자 우리는 꽃밭에 서 있었다. 신비로운 세계였다. 저 멀리 다른 사람들이 보였다. 그리고 그녀의 뒤로 해가 보였다. 커다란 해였음에도 덥다는 느낌이 없었으며, 햇빛에 비친 모든 것에 그림자가 지지 않았다. 그런 풍경 속에 있는 그녀가 이질적이면서도 사랑스러웠다. 내 손에는 오직 곰 인형만 들려 있었다. 우리는 곰 인형이 이 세계로 함께 온 것에 대해 의문을 가졌지만, 그저 웃어넘겼다. 이제 나와 이 곰 인형은 '이 세계'의 예외가 되었다. 서로가 서로의 예외였던 우리는 결국 사랑에 빠졌고 다시 만나 사랑을 했다. 아무 말을 하지 않아도 그저 웃음이 났다. 웃음 속에서 우리는 한참을 꽃밭 속에 있었다. 서로를 끌어안았다. 두고 온 과거든, 앞으로의 미래든, 아무것도 생각하고 싶지 않았다. 그녀의 뒤로 해가 무수한 빛을 내고 있었으나 전혀 눈에 들어오지 않았다. 오히려 달이 생각났다. 달이 없는 이 세상에서 그녀는 달과 같은 존재였다. 이제 이 세상에서 달이라는 개념을 아는 이는 나뿐이겠지. 그녀는 나를 바라보며 웃었다. 동시에 달이 떠올랐다.

생존일기

전예빈 유하늘 **이현주 윤수빈(삽화)** 김정원

-일기 1일 차-

해가 지지 않는다. 벌써 며칠째지. 이젠 날짜도 모르겠다. 전례 없는 이상기후 속에서 첫 일기를 쓰는 지금도 오늘이 며칠인지, 무슨 요일인지 몰라 날짜를 쓸 수가 없다. 아니, 오늘이라고 할 수가 있나? 오늘이 사실 어제이고 내일이지 않을까? 잘 모르겠다. 날씨는 언제나 맑음. 비도 오지 않고, 구름이 끼지도 않는 항상 맑음. 밤이 오지 않는다는 건 지옥과도 같다. 아니, 지옥이다. 지지 않는 태양은 지옥불이 되어 대지를 달궜다. 밖에 나가는 순간 불타버리는 건 한순간이었다. 이런 지옥같은 세상에서 어떻게 죽어야 잘 죽었다고 소문이 날까. 집안에서 서서히 죽어가는 게 좋을까, 아니면 지옥불에 뛰어들어 순식간에 죽는 게 좋을까? 아, 그렇다고 진짜 죽는다는 건 아니고. 일단 지금은.

밤낮이 바뀌지 않는다는 게 이렇게 지루한 일인지 몰랐다. 바깥은 너무 뜨거워 나가지도 못하고, 밤은 찾아오지 않아 매일 똑같은 풍경이다. 거리엔 거니는 사람도 없고, 다니는 차도 없다. 집 안에서만 지내는 상황이 이어지다 보니 점점 집에 있는 것도 지겹다. 할 일도 없다. 오죽 할 일이 없으면 내가 일기까지 쓸까. 여름방학 숙제로 내줘도 절대 쓰지 않았었는데. 인생 첫 일기가 이상기후 때문이라니. 좀 웃기다. 언제쯤 밤이 찾아올까. 윗대가리들은 대체 뭘 하고 있는 거지? TV를 봐도 맨날 방법을 찾고 있다는 말뿐이고. 방법을 찾고 있는 게 맞긴 해? 대체 왜 이런 현상이 일어났는지, 언제까지 이어지는 건지 하나도 알려주지 않고 있잖아. 그저 기다리라고만 하지. 지긋지긋하다. 잠이나 잘란다. 자고 일어나면 새로운 소식이 좀 떴으면 좋겠다.

-일기 2일 차-

몇 시간을 잔 건지 모르지만, 일단 자고 일어나는 것을 기준으로….

펜이 멈췄다. 애초에 날짜의 개념이 사라졌는데 그걸 세고 있는 건 의미 없는 짓이었다. 이런 종류의 권태감은 태양이 하늘에 붙은 이후로 걸핏하면 찾아오는 것이었다. 반복조차 하지 않고 이어지기만 하는 삶이란 생각보다 훨씬 끔찍했다. 원인조차 모르기에 더더욱.

커튼 너머는 여전히 밝다. 전세계의 호수가 대부분 말라붙고 말았다는 소식이 들려온 지 꽤 오랜 시간이 지났으니, 이제 슬슬 강과 바다도 증기를 뿜어내기 시작하리라. 그렇게 되면 이제 물은 안 나오게 될까. 불타죽는 것보다 말라죽는 게 먼저일 거란 생각이 들었다. 둘 중에 뭐가 더 나으려나 하는 쓸데없는 고민도 같이.

꼬리를 무는 비관을 갈무리하고 침대에서 일어났다. 누워있어봐야 시간이 멈춘 것 같이 느껴지기만 한다는 건 이미 알고 있었기에. 청소를 하고, TV를 틀어놓고, 고장 난 라디오를 좀 손보고, 남은 식료품을 계산하고…. 손으로 할 일을 꼽으며 거실로 나갔다. 들릴 리 없는 소리가 들린 건 바로 그 때였다.

똑똑똑.

들릴 리 없는 소리라는 걸 잠시 잊었을 정도로 '평소'와 같은 노크 소리였다. 밖에 누군가 다닐 수 있을 리 없는데. 상황 파악이 되지 않아 잠깐 멍하니 있었더니 계속해서 노크 소리가 들려왔다. 똑똑똑. 똑똑똑. 똑똑똑. 똑똑똑. 지치지도 않는지 일정한 간격으로 계속해서 문을 두드렸다. 그리고 몇 분이나 지났을까. 노크 소리가 멈추더니.

잠깐의 공백을 지난 후 누군가 문을 다시금 두드렸다. 아니, 두드린다고 서술하기 힘들 정도로 강하게 내리쳤다. 문이 부서질 수도 있겠다는 생각이 들었다. 사람의 말소리라든지, 자동차 소리 같은 다른 소리는 들리지 않았다. 그저 누군가가 문을 두들겼다. 문을 열 수는 없었다. 문을 여는 순간 뜨거운 열기가 날 덮쳐올 걸 알기에. 조심스럽게 누구냐며 물었지만 대답은 돌아오지 않았다. 열기와 빛을 막으려 완전히 창문을 막아놓은 탓에, 밖의 상황을 볼 수조차 없었다. 그 누군가는 그저 문을 두드리고, 또 두드렸다. 10분쯤 지나자 결국 멈췄지만, 누구였는지, 왜 문을 두드렸는지, 그 무엇도 알 수 없었다. TV를 켜자 정돈되지 않은 방송이 흘러나왔다. 이유를 알 수 없다. 밖에 나오면 안 된다. 계속해서 똑같은 소리를 늘어놓는 방송이 도움이 될 리 없었다. 다시 무기력해졌다. 아무것도 알 수 없는 현실이 막막했다. TV를 틀어놓은 채 쇼파에 앉아 시간이 흐르기를 기다렸다.

그런데 방송에서 똑같은 말만 늘어놓다, 무언가 다른 얘기를 하기 시작했다. 디자인도 구성도 그 무엇 하나 제대로 된 것 없는 방송이었지만, 그 방송 앞에는 [속보]라는 단어가 붙었다.

[속보] 어느 공간에서 해가 진 광경 목격…

누군가가 CCTV를 해킹해 실시간으로 틀었더니, 그 공간은 밤이었다는 믿을 수 없는 이야기였다. CG가 아니냐, 옛날 영상 아니냐, 하는 여러 의견이 있었으나, 나는 그 속보를 믿을 수밖에 없었다. CCTV를 해킹한 그 시점, 실시간으로 나오던 그 시점은 누군가 문을 두드린 바로 그때였다.

일순간 밤이 목격되었다는 그 공간은 하나였을까, 여러 개였을까? 그러나 한 가지 추측할 수 있는 것은 그곳이 내 집과 굉장히 가까웠을 거라는 것이다. 아마도 어제 현관문을 두드렸던 누군가가 서있었을, 내 집 문 앞. 오싹함이 등줄기를 징그럽게 기어올랐다. 애초에 사람이 나다닐 수가 없는 상황이다. 창문 열어 공기 한 번 들이마시는 순간 폐가 말라붙는 실정에 그 누군가는 어떻게 밖에 서있을 수 있던 것일까? 만약 정말로 집 앞에 밤이 왔었던 거라면, 그는 그걸 미리 알고 있었던 것일까? 왜 현관문을 두드린 것일까? 나에게 어떤 목적이 있어서? 의문들이 꼬리에 꼬리를 물었다. 스스로 해결할 수 있는 질문이 아니라는 확신이 들자, 막연한 무기력과 공포에 휩싸였다.

-일기 3일 차-

　왜 갑자기 이 세상에서 밤이 사라졌을까? 거슬러 올라간 의구심이 마침내 거기에 닿았을 때, 나는 집 밖으로 나가야 한다는 생각이 들었다. 적막이 힘들어 켜둔 TV에서는 여전히 밖에 나가면 죽는다는 말을 반복했다. 그렇지만 상관없었다. 죽어도 괜찮다는 이야기는 아니다. 그냥, 문을 열어도 아무 문제 없을 거라는 생각이 머리 한구석에서 깜빡거렸다. 끌어안고 있던 쿠션을 내려놓고 소파에서 일어났다. 며칠간 먹는 것을 소홀히 한 탓인지, 머리가 핑 돌았다. 휘청이다 옆에 있는 벽을 붙잡고 간신히 섰다. 현관문의 잠금을 풀고 문고리를 돌리는 순간까지, 내 움직임에는 일말의 망설임도 없었다.

　아, 뉴스 자료화면에서 봤던 장면이다. 그러나, 화면 따위보다 더 생생한 밤 풍경이 눈앞에 들어찼다. 새벽녘의 냄새가 코에 내려앉았다. 몸을 휘감는 밤공기가 시원했다. 해가 지지 않았던 며칠간의 일이 전부 꿈이었던 건 아니었을까, 하는 생각이 들었다. 별들이 하늘에 총총 박혀있었다. 정말 오랜만에 보는 광경이었다. 그와 동시에 무언가 기시감이 들었다. 정말 예쁘긴 한데 뭐가 있어야 할 게 없는 느낌... 중요한 것을 잊고 있는 듯한 기분... 문을 두드렸던 누군지 모를 사람의 존재가 그제야 떠올랐다. 뒤에서 인기척이 느껴진 것은 그 순간이었다. 황급히 뒤를 돌아봤다. 아무도 없었다. 정확히는, 보이지 않았다. 다만 누군가가 있다는 것을 분명하게 알 수 있었다. 형체를 알 수 없는 그의 아래에 나와 같은 그림자가 일렁이고 있었기 때문이다. 헝클어진 단발 정도 길이의 머리칼과 레이스 달린 민소매 잠옷. 모든 실루엣

이 나와 똑같았다.

지금부터 그것을 '형체'라고 칭하겠다. 그 형체는 나와 모든 행동을 같이했다. 내가 오른손을 올리면 마치 거울을 보는 것처럼 같은 방향의 손을 올렸고, 발을 앞으로 뻗으면 똑같이 발을 뻗었다. 그제야 난 알 수 있었다. 이 형체는, 나라는 것을. 그래, 그 정체불명의 형체는 나였다. 나는 조심스럽게 그 형체에게 누구냐고 물었다. 형체는 대답하지 않았다. 당연하지. 내가 대답하지 않았으니까. 그저 묵묵히 나와 같은 행동을 하며, 그 자리를 지킬 뿐이었다. 나는 그 형체에 더 다가가지 않았다. 아무리 물어봐도 내가 원하는 답을 줄 리 없으므로. 난 그저 형체를 바라보았다. 그림자는 나를 닮아있었다. 밤공기는 무척이나 시원했다.

-일기 4일 차-

일기를 안 쓴지 좀 됐네. 심심함에 오랜만에 써보는 일기이다. 일기장 상으로는 네 번째 일기를 쓰는 중이니 대충 4일 차라고 칭하겠다. 밤이 찾아왔다는 소식이 무색하게도, 그날 이후 두 번 다시는 밤이 찾아오지 않았다. 그리고, 그 형체 역시 밤과 함께 자취를 감추었다. 형체가 사라지자 밤이 사라진 것인지, 밤이 사라지자 형체가 사라진 것인지 알 수 없었다. 다만, 형체와 밤이 오는 것 사이에 무슨 연관이 있는 것이 아닐까 생각했다. 하지만 아무리 머리를 굴려도 생각나는 것은 없었다. 그렇게 세상은 찾아온 밤의 기쁨을 만끽하기도 전에 또다시 지옥 불에 던져졌다.

처음 며칠은 괜찮았다. 밤이 옴으로써 대지는 열기를 식혔고, 사람들은 그 틈을 타 생존 물품을 구비하려 밖을 돌아다녔다. 오랜만에 이곳이 사람 사는 동네고, 생명이 존재하는 지구임을 느꼈다. 그러나 그것도 잠시였다. 나를 비롯한 사람들은 또다시 절망했다. 어째서 밤이 되지 않는 거지? 왜 계속 해가 떠 있는 거지? 전문가들은 다시 추측에 들어갔지만, 역시나 결과를 얻지 못했다. 그렇게 지금까지도 해가 떠 있는 상태다. 지루해 죽겠네.

-일기 5일 차-

해가 지지 않는 기간이 점점 늘어가는 것만 같다. 아니면 시간이 안 가는 건가. 지루함에 나는 또 일기를 펼쳤다. 지금부터는 이해가 가지 않는 것들을 하나씩 나열해보려고 한다.

우선 첫 번째. 우리집 문을 두드린 누군가. 그것은 '형체'였고, 그 형체는 나의 실루엣과 닮아있었기에 그것을 '나'라고 칭할 수 있다. 그렇다면 두 번째, 왜 '나'인 것일까? '나'인 형체는 내 눈에 보이지 않았다. 그저 그림자의 실루엣을 통해 나라고 추정할 뿐이었다. 그럼 형체는 나의 모습으로 내 앞에 나타난 것일까? 아니면, 또 다른 나? 이건 세 번째 의문이 해소되면 저절로 해결될 것 같다. 마지막 세 번째, 형체와 밤이 오는 것 사이에 상관관계가 있을까? 밤이 오자 형체가 나타났고, 형체가 사라지자 밤이 오지 않고 있다. 이 둘 사이에 어떤 인과관계가 있을까. 이것이 세 번째 의문이고, 이를 해결해야만 형체의 존재에 대한 의문을 해결할 수 있을 것이다. 머리를 좀 잘 굴려봐야겠다. 지금으로선 답이 안 나오네.

-일기 6일 차-

문득 그때가 떠올랐다. 밤이 찾아오고 난 후, 사람들이 잠시나마 밖을 돌아다녔던 때. 난 소파에 앉아 그때를 회상했다. 작열하는 태양으로 인해 뜨거웠던 대지가 열기를 잃자 사람들은 신이 나서 거리로 쏟아져나왔었다. 낮이나, 밤이나 사람들이 끊이질 않았다. 마치 예전에 그랬던 것처럼. 근데, 지금 생각해보니 예전과는 다른 하나가 있었다. 너무나도 당연하게 존재할 거라 생각한 나머지, 사라졌음에도 아무도 신경 쓰지 않았던 하나가.

그래, 그림자. 그림자가 없었다. 거리를 돌아다니는 사람들에게서 그림자가 보이지 않았었다. 이상하지? 해가 내리쬐는 낮에 그림자가 없다니. 이건 과학적으로 있을 수 없는 일이었다. 물체에 빛을 비추면 그림자가 생기는 건 자연스러운 일이자 자연의 이치니까. 그런데 어떻게 그림자가 없을 수 있지? 전혀 이해되지 않는다. 무슨 일이 벌어지고 있는 걸까.

-일기 7일 차-

그림자가 없다는 것을 알게 된 후, 나는 그 원인에 대해 많은 생각을 해보았다. 그리고 한 가지 결론을 내렸다. 결론은 이거였다. 그림자는 사라졌다. 그림자가 없는 게 아닌, 사라진 것이었다. 일기 6일 차에 그림자가 없다는 걸 알게 되고 난 집안을 둘러보았다. 집에도 조명이란 빛이 물건들을 비추고 있었으니, 분명 그림자가 생겨야 했다. 하지만, 집안 어디에도 그림자는 존재하지 않았다. 내가 여태까지 알아채지 못했다는 게 신기할 정도로. 조명 아래 식탁에도, 그 어떤 물건에도 그림자는 없었다. 그제야 알게 됐다. 그림자는 사라졌다.

그리고 결론이 나오자 그런 생각이 들었다. 밤이 찾아온 날, 내가 그 밤에 봤던 형체는 사실 그림자가 아니었을까. 형체는 눈에 보이지 않았고, 오직 바닥에 비친 검은 실루엣만이 보였다. 나는 이것이 그림자라고 확신했다. 형체는, 아니 그림자는 그 밤에 나를 찾아온 것이 분명했다. 모든 그림자가 사라진 세상에 밤을 불러내어 나를 만나러 왔다. 무엇을 말하고 싶어서 온….

잠시만. 밤을 불러냈다고? 그림자가 밤을 불러내? 아니, 잠시만. 천천히 다시 한번 생각해보자.

세상엔 밤이 사라졌다. 그리고, 그림자도 사라졌다. 그러던 어느 날 밤이 찾아왔고, 그 밤에 내 그림자가 나타났다. 그리고 그날 이후 밤은 찾아오지 않았고, 그림자 역시 보이지 않는다….

내가 지금 생각하고 있는 게 맞다면, 그림자는 밤이 오는 것의 원인일 것이다. 그림자가 나타나야 밤이 오는 것이다. 그래. 밤이 사라진 건 그림자 역시 사라진 탓이구나. 그렇다면 그림자는 왜 사라진 거지? 하나를 아니까 또 다른 하나를 모르겠다. 애초에 그림자라는 건 물체에 붙어있는 것이 아닌가. 항상 빛을 받는 물체 아래에 생겨 떠나질 않는 그런 존재가 아닌가. 그런데 그림자가 어째서 자신의 의지를 갖고 사라질 수가 있지? 항상 물체를 따라다녀야 할 그림자가?

-일기 8일 차-

내가 그림자라면 어떨까 생각해보았다. 내가 만약에 그림자다. 내가 그림자라면…. 어떤 대상 뒤에 숨어 그 대상만을 따라다니기 지겨울 것이다. 항상 그 대상만을 바라보며, 그 대상이 가는 길 뒤에서 그것을 쫓아다니다니. 심지어 동등하게 옆에서 가는 것도 아니고 대상의 발밑에서 바닥을 기며. 그래, 내가 그림자였다면 난 너무 지겨울 것이다. 내 존재 이유가 그것뿐이라니. 얼마나 지루한 인생인가. 그림자 역시 나처럼 생각할까? 그래서 모습을 감춘 걸까? 그렇다면 그림자가 사라진 이유를 조금은 이해할 수 있을 것 같다.

-일기 9일 차-

아까 화분 밑에 그림자가 생긴 것을 본 것 같다. 하지만 내 눈이 잘못된 것이라고 질책하기라도 하듯 그림자는 없었다. 하지만 분명 화분 밑에 생긴 어두운 것을 본 것 같았는데…. 내가 잘못 봤나.

-일기 10일 차-

화분 밑에 그림자가 생겼다. 그림자를 확인한 나는 망설임 없이 문을 열었다. 내 그림자가 발밑에 있었다. 그리고 나를 비춰주는 환한 달이 보였다. 달이 떠올랐다.

릴레이 소설 후기

김정원

저는 사진을 찍은 줄 알았지 뭐예요... 하늘아 미안...

처음엔 A와 나의 사별 로맨스 같은 걸 생각하고 쓴 건 데 돌아와서 보니까 내가 A와 다른 사람 이야기의 제3자가 되어있었다. 역시 릴소는 재밌는 거 같다. 나는 생각할 수 없는 방향으로 이야기가 전개되는 것과 남이 써주는 기승전을 토대로 결말을 쓸 수 있다는 것이 재밌다. 도입부랑 결말 쓰는 것만 좋아하고 전개 쓰는 것을 어려워하는 편인데 제 욕망을 충족할 수 있는 시간이었습니다... 다섯 명이 전부 같은 문장으로 시작과 끝을 내야 한다는 것도 신선하고 재밌었다. 주최자 최고~! 다들 최고~~! 즐거웠고 모두들 수고했어용

유하늘

그래서 사진 찍었는지 안 찍었는지 원만한 합의 부탁드립니다
하지만 글 주인은 저라서 전 합의 안 보고 마음대로 끝냄

윤수빈

처음에 삽화의 보라색 빗금이 쳐져 있는 걸 깊은 숲으로 들어간 소녀를 따라간 마을 아이라 생각하고 그렸는데 나중에 글을 받아보니 뭔가 기이한 존재가 되어있었다. 이런 게 릴레이 소설의 묘미라고 생각한다! 합작 수정할 때 다시 봤더니 너무 길고 이게 뭐지 싶어서

짧게 수정했는데 여전히 이게 뭔가 싶다. 머릿속에서 그려지는 장면들을 글로 잘 옮겨 쓰는 게 어렵다는 것을 다시 깨달았다.

이현주

사실 처음 의도했던 것은 '무거운 환경 속에서 가벼운 로맨스를 써보자!'였는데… 소설이 진행되다 보니 점점 환경은 가벼워지고 로맨스가 무거워졌네요. 장르가 공포 판타지로 바뀌었길래 마무리도 그런 식으로 해보았습니다. 조금 무서운 것 같아요. 두고 온 것들과 앞으로 나아갈 미래 그 무엇도 생각나게 하지 않는…

곰 인형은 사실 아무 생각 없었는데 팀원이 그린 그림 속 곰돌이가 너무 귀여워서 넣어봤습니다. 다른 세계 속의 예외가 주인공분이면 조금 섭섭하고… 아숩고… 그렇잖아요. 귀여운 곰돌이 짱!

전예빈

제가 생각했던 전개와 달라져서 좀 당황했지만 그래도 재밌었습니다. 생각도 못해본 결말이 나와서 오히려 흥미로웠습니다. 고마워요 친구들!

6장

열광하다

환호하는 달맞이

김정원

전율

윤수빈

열광의 기억

전예빈

따사로운 햇볕이 드는 어느 일요일 오후. 나는 방 한구석에서 잊혀 가던 상자 하나를 발견했다. 전혀 기억이 나지 않는 낡은 갈색 상자였다. 나는 마시던 커피를 식탁에 내려놓고는 바닥에 자리를 잡고 앉았다. 나는 조심스레 상자를 열었다. 그리고 그 안에는, 한때 내가 사랑했던 것들이 가득했다.

"..이게 얼마 만이야."

내가 좋아했던 가수와 관련된 물건들. 10년 만에 보는 듯했다. 이것들을 넣어놨던 상자였구나. 내가 이런 물품들을 여기 넣었다는 것조차 기억나지 않았다. 그러나 물건들을 마주하자 그를 열정적으로 좋아했던 과거의 나의 모습이 하나씩 스쳐 지나갔다. 나는 손을 뻗어 상자 안의 물건들을 꺼냈다. 첫 번째로 꺼낸 것은 처음으로 갔던 콘서트 티켓이었다. 샛노란 색에 심플한 디자인, 필요한 정보들만 담긴 단순하고도 투박한 티켓이었다. 지금 보니까 촌스럽기 그지없는 디자인을 그땐 왜 이리 좋아했는지. 처음으로 가는 콘서트에 너무 신이 난 나머지 디자인은 상관이 없었던 걸까? 과거의 나를 떠올리니 미소가 지어졌다. 화장기 하나 없는 얼굴에 하나로 질끈 묶은 머리. 그 사람의 손짓, 발짓과 같은 사소한 것 하나하나에 열광하던 순수했던 학생. 모든 열정을 잃어버린 지금은 찾아볼 수 없는 모습이었다. 그 사람의 노래, 무대에 열광했던 그 기억은 정말 잊지 못할 것이다. 그다음 꺼낸 것은 '바람과 너'라고 적힌 하얀 카세트테이프였다.

"이건 정말 잊고 살았던 건데….."

기억 저편에 묻어두었던 카세트테이프를 보자 이루 말할 수 없는 감정이 물밀듯이 쏟아져 내렸다. 학생다운 투박한 글씨체가 추억을 자극했다. 내가 좋아했던 가수의 '바람과 너'라는 곡을 녹음하기 위해 수도 없이 라디오를 들었던 그 시절. 녹음본에 조금이라도 잡음이 들어가거나 중간에 끊기면 처음부터 다시 녹음하기 위해 그 노래만이 나오길 기다리곤 했었다. 어떻게 이걸 잊을 수가 있지? 나는 손가락으로 카세트테이프를 쓸었다. 10년이라는 세월이 흐른 지금 들어도 노래가 잘 나올까? 내가 녹음했던 이 노래를 다시 들어보고 싶어졌다. 나는 벌떡 일어나 카세트테이프를 틀기에 적합한 장치를 찾아보았다. 하지만 집을 아무리 뒤져도 음향 장치는 찾을 수 없었다. 결국 못 듣게 되는 건가 생각하던 찰나, 문득 집에서 10분 거리에 악기 가게가 있다는 것이 떠올랐다. 그곳에 가면 노래를 들을 수 있겠지. 나는 망설임 없이 겉옷과 카세트테이프를 챙겨 밖으로 나갔다.

경쾌한 종소리와 함께 가게 문이 열렸다. 악기를 수리하던 가게 주인은 소리가 나는 쪽으로 몸을 돌렸다.

"어서오세-"

가게 주인은 가게에 들어선 사람을 보고 말을 멈추었다. 손님은 숨을 헐떡이고 있었다. 무슨 일이 있나? 가게 주인은 생각했다. 이윽고 손님이 카운터 앞으로 다가왔다. 그리곤 낡은 카세트테이프 하나를 내밀었다. 가게 주인은 의아한 표정으로 손님을 올려다보았다. 그러자 손님이 말했다.

"여기 담긴 노래를 듣고 싶어요."
"예?"
"집에 카세트테이프를 틀 수 있는 게 없더라고요. 혹시 카세트테이프가 재생되는 장치가 있다면 잠시만, 잠시만 빌릴 수 있을까요?"

악기점에 오는 보통의 손님과는 다른 요구에 가게 주인은 당황했다. 하지만 손님이 매우 간절해 보여 당황스러움을 거둔 채 말했다.

"..음. 잠시만요."

가게 주인은 장치를 찾기 위해 창고로 향했다. 그사이 나는 악기
점을 둘러보았다. 추억을 떠올리게 하는 LP판과 8090 앨범, 그리고
다양한 악기들까지. 이곳에서는 분명히 카세트테이프 속 노래를 들
을 수 있으리라. 가게 주인은 시간이 꽤 흐른 뒤에야 다시 카운터로
돌아왔다. 창고에서 한참을 찾은 모양이었다. 가게 주인은 낡은 라
디오 하나를 카운터 위로 올려놓았다. 먼지가 잔뜩 쌓인 검은색 라
디오였다.

"카세트테이프도 들어가는 라디오라 넣으면 재생될 겁니다. 다
만 오랫동안 쓰지 않아서 잘 작동될지 모르겠지만요. 테이프 주시겠
어요?"

나는 떨리는 손으로 가게 주인에게 카세트테이프를 내밀었다. 속
으로 제발 잘 작동되길 빌고 또 빌었다. 가게 주인은 카세트테이프를
받아 라디오에 넣고는 재생 버튼을 눌렀다. 심장이 미친 듯이 뛰었다.
낡은 라디오와 낡은 카세트테이프가 잘 작동될까? 세월의 흔적이 가
득 묻은 라디오와 세월을 고스란히 담은 카세트테이프가 지금의 나
를 그때의 나에게 데려가 줄까? 나는 마른침을 삼켰다.

"⋯⋯"

"⋯⋯"

하지만, 나의 바람이 무색하게도 라디오는 괴이한 소리만 낼 뿐이었다. 지직- 지지직-. 신나는 90년대 재즈 음악이 가득했던 가게 안은 괴이한 소음으로 가득 찼다. 마치 라디오와 카세트테이프가 나에게 과거의 찬란함은 생각도 하지 말라는 메시지를 전하는 것만 같았다. 가게 주인이 이 괴상한 화음을 듣기 싫었는지 가게의 음악을 껐다. 그 모습을 보자 괜히 가게 주인에게 민폐를 끼치는 건 아닌가 하는 생각이 들었다. 괜한 부탁이었다. 10년이 넘은 카세트테이프가 아름다운 노랫소리를 낼 리 없다. 혹은 처음부터 녹음이 안 됐을 수도 있었다. 그런데도 무작정 이곳으로 왔다니. 그저 인터넷에 그 노래를 검색하면 편한 것을. 아마도 나는, 노래를 듣고 싶다기보단 그에게 열광했던 그 기억을 다시 떠올리고 싶었을지도 모른다. 다시 그때로 돌아가고 싶었을지도 모른다. 두 번 다시는 갈 수 없는, 찬란했던 그 시절로. 지직거리는 소음이 계속되자 나는 가게 사장에게 말했다.

"..그만 들어도 될 것 같아요. 감사합니다."

"조금만 더 들어보시죠. 간혹 테이프 뒤쪽에 녹음이 되어 있는 경우도 있습니다."

"아니에요. 너무 가게에 민폐만 끼치는 거 같고⋯. 이 정도면 충분히,"

　더 들어보자는 가게 사장을 오히려 내가 말리던 그때, 믿을 수 없는 일이 일어났다. 너무나도 익숙하지만, 그러나 오랫동안 잊고 살았던 노래가 라디오에서 흘러나왔다. 잔잔하고도 아름다운 피아노 선율은 10년이라는 세월이 무색하게 깔끔한 소리를 냈다. 가게 사장과 나는 서로 아무런 말도 하지 않았다. 그저, 라디오를 바라보며 흘러나오는 노래를 가만히 들었다.

　'뒤를 돌아보면 그대가 서 있길- 오늘도 눈물로 바래요- 바람처럼 떠나간 그대가 바람처럼 돌아오길- 나 오늘도 빌어요-'

　실로 오랜만에 듣는 그의 목소리는 참으로 아름다웠다. 옥구슬이 굴러가는 듯한 부드러운 음색과 그의 음색을 받쳐주는 피아노, 그리고 바이올린 선율은 감정을 자극하기에 충분했다. 그를 사랑하며 행복했던 나, 그에게 열광하며 삶의 힘을 얻었던 그때의 나를 생각하니 눈에 서서히 눈물이 고였다. 콘서트 티켓 하나에 뛸 듯이 기뻐하고, TV에 나오는 그를 보기 위해 숙제를 재빠르게 끝내고, 그의 노래를 카세트테이프에 수도 없이 녹음했던 내가 흐린 시야 너머로 스쳐 지나갔다. 그때의 나는, 정말 행복했었다.

"'바람과 너'였군요! 이거 정말 명곡이죠. 신인가수가 이런 명곡을 들고 혜성처럼 나타났으니 안 좋아하는 사람이 없었는데. 손님께서도 꽤 좋아하셨나 봐요?"

가게 주인은 추억에 젖었는지 신이 난 목소리로 말했다. 그의 말에 나는 천천히 고개를 끄덕였다. 그러자 눈물이 카운터 위로 떨어지며 흐렸던 눈앞이 맑아졌다. 그제야 나는 환히 웃을 수 있었다.

"네. 정말 많이 좋아했어요."
"......"
"열광했거든요."

내가 미소 짓자 가게 주인도 나를 보며 웃어주었다. 눈에선 눈물이 흘러내렸지만, 신경 쓰지 않았다. 이젠 더 울지 않을 것이니 말이다. 나는 노래를 들으며 잠시 추억에 잠겼다. 누군가에게 열광했던 그 기억을 떠올리며, 누군가에게 열광했던 나를 떠올리며.

7장

인형

내 인형이 여기 있었네?

윤수빈

8장
Remember the love
RENT <Seasons of Love>가사 중

사랑을 기억하는 방법

김정원

잊지 말아 줄 수 있게

윤수빈

잠수

이현주

    누군가를 때려죽이는 꿈을 꾼 것은 이번이 처음이 아니었다. 잠에서 깨어 생경한 감각에 두 손을 바라본다. 피가 흥건하던 두 손은 깨끗하다. 꿈속에서는 항상 누군가를 때렸다. 아는 사람일 때도, 모르는 사람일 때도, 그저 스쳐 지나갔던 사람일 때도 있었다. 친한 친구일 때도, 좋아하는 연예인일 때도 있었다. 장소도 시간도 매번 달라졌다. 반응도 항상 달랐다. 도망가는 사람도, 반격하는 사람도 있었다. 그 불규칙한 꿈 사이에서 규칙적인 것은 나의 행동뿐이었다.

    처음에는 이상함을 느꼈다. 다음에는 다른 꿈을 꿔보려 노력했다. 자기 전까지 완전히 다른 분위기의 영상을 보기도 하고, 몸을 엄청나게 피곤하게 해 기절하듯 잠을 자보려 시도해보기도 했다. 하지만 전부 소용없었다. 그리고 이젠 체념을 선택했다. 평범한 학생으로 연기하기 시작했다. 내가 어젯밤 죽도록 때린 사람이 오늘 내 앞에 있어도 천연덕스럽게 반응했다. 그 사람에게 해가 되는 것도 아니고, 나에게 득이 되는 것도 아니었다. 그저 내 기분이 조금 더러울 뿐이었다.

    세인은 잠에서 깨어 또다시 손을 바라본다. 피가 흥건했던 손은 여전히 깨끗하다. 연기를 하기 시작했지만 잠에서 깨자마자 두 손을 바라보는 것은 버리지 못한 습관이었다. 한숨을 쉬고는 자리에서 일어나 나갈 준비를 한다. 세인은 편입 준비생이었다. 학원에 도착한 세인은 평소와 같이 공부를 하고 평소와 같이 수업을 들었다.

오늘은 좋아하던 연예인이었다. 그 배우가 뮤지컬 작품을 하기 시작했기 때문이었을까, 세인이 그곳을 가지 못한다는 현실 때문이었을까. 그 스트레스 탓일까, 혹은 그냥 랜덤일 뿐이었을까. 세인은 버스를 탄다. 극장이 아닌 학원으로 향하는 버스다. 저번 주에는 콘서트를, 그 전주에는 행사를 포기했다. 아직 보지 못한 영상들이 쌓여갔고, 유튜브의 나중에 볼 동영상 리스트에 있는 영상이 세 자리 수가 훨씬 넘은 지는 오래다. 처음에는 어쩔 수 없다고 생각했다. 내가 선택한 길이니까. 그리고 그 선택을 후회한 지는 벌써 6개월이다. 세 달이 지나면 시험인데도, 좋아하는 연예인을 보지 못하는 것은 괜히 스트레스였다. 어쩜 이렇게 정신을 못 차릴까, 아직 철이 없어서 그런가. 세인은 그런 자신을 자책하면서도 자꾸만 가는 마음을 주체하지 못한다. 자책에 자책이 쌓여 이젠 자책마저 큰 산이 되었다. 그 산은 항상 거기에 있는데, 그 산을 볼 때마다 가슴이 답답했다.

오늘은 친구였다. '세인인 어차피 못 오지?', '그래도 보고 싶다ㅠㅠ' 수많은 카톡이 세인의 눈에 걸쳐졌다. 본래 친구들의 모임에 잘 빠지지 않는 세인이었다. 세인은 오히려 모임을 주도하는 쪽이었다.

어떤 친구들은 세인이 모임을 주도하지 않자 아예 만나길 꺼렸고, 어떤 친구들은 세인이 빠지는 것을 당연하게 생각했다. 내가 예민한 건가? 생각하는 동시에 세인은 또다시 자책했다. 괜히 시험 때문에 예민해졌네, 친구들이 내 생각해주는 건데-. 또다시 산이 쌓였다. 내가 선택한 길이니까 어쩔 수 없지, 생각한 지도 오랜 시간이 흘러 이젠 그 말로는 위로가 되지 않았다. 쌓인 수많은 산은 그만큼의 자책이었다. 세인이 시험을 준비하며 느낀 감정은 의욕과, 그보다 많은 후회와, 그보다 많은 자책이었다. 그 세 가지 감정만이 세인을 움직이게 했다.

오늘은 가족이었다. 세인은 시험이 끝나면 알바를 구해 독립을 하겠다는 생각을 하기 시작한다. 학원비에 대한 부담도, 지나가듯 하던 말도. 그 무엇도 세인에게 상처가 아닌 말이 없었다. 집에 있는 모든 시간이 부담이었고 책상 앞에 앉아 있을수록 우울만 쌓여갔다. 값비싼 학원비에 비해 오르지 않는 성적은 가장 큰 스트레스이자 자책이었다. 그 모든 것들이 세인의 안에 쌓인 수많은 산에 비를 뿌렸다. 해를 가리는 먹구름과 차가운 비는 산을 무너뜨려 두꺼운 흙층을 만들었다. 아무리 삽을 가져다 파도 그 끝은 보이지 않았다.

꿈에서 누군가를 때리는 것이 점점 익숙해지기 시작한다. 그러고 보니 시험 준비를 시작하며 꾸기 시작했던가, 그전에도 몇 번은 꾼 것 같은데. 적응을 하기 시작한 건지, 자신이 원래 이런 사람인지는 알 수 없지만, 이 또한 세인의 마음에 산을 하나 쌓는다. 원래 소심한 사람은 '땅을 판다'라고 표현하던데, 세인의 마음에는 왜 흙이 쌓아 올려지기만 하는 건지 알 수 없다.

나는 원래 이런 사람일까, 이런 꿈을 꾸는 것은 내 무의식 때문일까, 무의식 중의 나는 대체 어떤 사람인가. 세인은 계속해서 생각한다. 생각하고, 또 생각한다. 눈앞에 쌓여있는 단어 리스트는 눈에 보이지 않는다. 세인에게 중요한 것은 '내가 어느 것을 하는 사람인가'가 아니라, '내가 어느 사람인가'였다. 누군가를 죽도록 때려본 적이 있는가? 누군가를 때린다는 것은 곧 누군가에게 악의성을 품는다는 것과 같다. 악의성을 품더라도 누군가에게 고통을 주어야 한다는 의지가 있어야 한다. 정상적인 도덕성을 가지고 있는 사람이라면 누군가를 때린 경험조차 흔하지 않을 것이다. 게임의 벌칙이나 장난으로 하는 폭력 말고, 순수하게 '내가 저 사람을 고통스럽게 하고 싶다'라는 의도가 있어야 가능한 행동이다. 이런 경험을 한 것이 한두 번이 아닌 만큼 익숙하면서도, 이런 경험이 익숙해진다는 것이 역겨웠다.

어느새 여러 달이 지났다. 시험은 모두 끝났다. 비싼 원서비도, 새벽부터 출발해야 하는 일정도, 부모님 차를 빌려 타는 것도, 친구들에게 응원의 메시지와 선물을 받는 것도. 세인은 그 모든 것에 예민해진다. 꿈 또한 잊을 수 없다. 꾸준히 그 꿈을 꿨다. 점점 세인의 마음속에 산이 쌓이는 빈도가 늘어났다. 그 정도만큼 세인은 예민해졌다.시험이 모두 끝나고 결과를 기다리는 기간 또한 그랬다. 세인은 어렴풋이 알고 있었는지도 모른다. 늘 그렇듯 최선을 다했다고 믿었지만, 자신이 정말 최선을 다했는지도 구분이 안 됐다. 가장 아픈 것은 부모님이 이미 실패를 예감하고 있다는 것이었다. 세인 자신도 최선을 다했는지 모호한 상황에, 부모님이 보기엔 더 부족해 보였을지도 모른다. 그래, 내가 열심히 안했으니까… 쿨하게 인정하고 싶었지만 세인의 마음은 그렇게 넓지 않아서, 혹은 사실 세인은 나름대로 최선을 다했어서. 이젠 어디가 땅이고 어디가 산인지도 모를 만큼 쌓여버린 산은 세인을 무뎌지게도, 그러면서 아프게도 만들었다. 세인은 최선을 다해 괜찮은 척 연기했다. 괜찮은 척 연기하니 괜찮아 보이는 것 같았다. 언젠가는 정말 괜찮아 보이는 게 싫었다. 하지만 티를 내는 게 더 싫었다. 좋은 결과는 있지 않을 거라는 걸 예감하고 있었다. 그렇기에 더 괜찮은 척했다. 산을 보고 있으면 허망했다. 허무했고, 지쳤다. 재능도, 열정도, 아무것도 없는 자신을 보는 것 같았다. 이젠 자책마저 지쳐 회피했다.

모든 결과가 나온 날, 세인은 좋아하는 배우가 나오는 뮤지컬을 보러 가기로 마음먹는다. 결과를 기다리는 기간 동안에는 아무것도 하기 싫었지만, 결과가 모두 나온 마당에 무언가라도 해야 할 것 같았다. 그렇지 않으면 자신이 정말 어딘가로 사라져 버릴 것 같았다. 예감은 하고 있었지만 불합격이란 세 글자는 참 아팠다. 그래도 멀쩡

한 척했다. 무작정 보고 싶었던 뮤지컬 티켓을 구해 뮤지컬을 보러 갔다. 그리고 말한다.

기억해, 사랑

세인은 헛웃음을 친다. 그동안의 일 년 동안 세인에게 남은 것은 높은 흙산밖에 없었다. 흙산 위에는 아무것도 없었다. 사랑 또한 없어 보였다. 이 최악인 상황 속에서 사랑이라니. 1막이 끝나고, 세인은 그래도 좋아하는 배우를 봤다는 생각에 기분이 좋아진다. 뭘 어떡해. 불합격은 불합격이고 이 순간을 즐겨야지. 방금 뮤지컬에서도 그랬잖아. 오직 오늘뿐.

사실 세인은 괜찮지 않았을지도 모른다. 하지만 괜찮으리라 믿었다. 연기했다. 연기로 자신마저 속였다. 세인은 무서웠다. 너 그렇게 공부할 때부터 알아봤어. 공부를 안 했으니까 떨어지지. 너 머리가 나빠서 그래. 세인은 이런 말을 듣는 것이 두려웠다. 아무도 세인에게 그렇게 말할 사람은 없었고, 세인 또한 그를 알고 있었음에도 그랬다. 세인의 마음에 가장 많이 산을 쌓은 것은 세인 자신이었다. 그리고 2막이 시작된다.

사랑은 절대 살 수 없다 하지만
서로 빌릴 순 있어 돌려줄 필요 없어

세인은 눈물을 흘렸다. 이유 없이 울었다. 세인의 모든 상황이 잊혔다. 이 넘버를 들으며, 가사를 되뇌고 배우들의 감정을 되뇌었다. 애써 눈물을 참으려 하지 않았다. 그럴 생각도 들지 않았다. 사랑은 서로 빌릴 수 있다. 갚지 않아도 된다. 세인은 그걸 깨달았다. 그날 밤 세인은 편한 마음으로 눈을 감았다. 그 꿈을 꾸기 시작한 뒤로 처음이었다. 아직까지도 감정에 휩싸여 꿈 생각조차 나지 않았다.

한밤중. 눈을 감자 눈앞에는 바다가 보였다. 여러 감정이 뭉쳐있는 것처럼 보였다. 자책과 후회, 그리고 그 모든 것들. 1년 동안 모아온 온갖 부정적인 감정들. 세인의 마음속의 산은 바다로 바뀌어 있었다. 그동안 세인은 이 감정에 다가설 수 없었다. 이 감정에 발을 디디는 순간 그 어둡고 깊은 흙 속으로 빨려 들어갈 것 같았다. 그래서 그 감정이 두려웠다. 감정이 드리워질 때마다 눈에서 보이지 않도록 도망쳤다. 애써 나오는 눈물을 참았다. 괜찮아 보이지 않으면 정말 괜찮지 않아질 것만 같았다. 눈물이 흘러넘치는 만큼 산이 쌓여 세인을 집어삼킬 것 같았다.

눈앞의 바다는 고요했다. 아무도 건드리지 않아 아무런 파동 없는 바다. 그리고 세인은 그 바다를 멍하니 바라봤다. 세상 모든 색을 섞어놓은 듯한 색이 참 어두웠다. 어떤 색이라고 지칭할 수 없었다. 그 드리워진 바다가 참 외로워 보여 세인은 자신도 모르게 살짝 발을 가져다 대었다. 세인의 발이 순식간에 빨려 들어갔다. 예측한 것이었기에 놀라진 않았다. 바다 안은 겉에서 보던 것보다 훨씬 더 어두웠다. 감정들이 휘몰아치고 있었다. 온갖 색을 섞어놓은 듯했던 그 새까맣던 색이 분리되어 세인의 머릿속을 휘저었다. 괴로웠다. 눈물이 흘렀다. 끊이지 않았다. 그렇게 참아왔던 눈물이었는데, 슬프지도 않은 감정에 눈물만 휑하니 흘렀다. 그리고 정신을 차리자 바다는 사라져 있었다. 세인은 어딘가 바닥에 앉아 있었고 물은 세인의 발목 높이까지 차 있었다. 눈물을 흘린 만큼 수위는 낮아져 있었다. 물이 찰랑였다. 무거운 바다는 어디 가고 세인의 발목에서 가볍게 살랑거렸다. 세인을 집어삼킨 그 어둡디 어두운 바닷물이라는 생각이 들지 않았다. 그 속은 그 어디보다 환하게 빛났다.

빛 속에 무언가 비쳐 살랑댔다. 흐릿해 보이지 않자 세인은 그 표면에 손을 가져다 대었다. 손끝이 만드는 파동이 무언가를 그렸다. 세인이 지금까지 보지 못한 많은 것이 보였다. 처음으로 보인 것은 친구들의 편지였다.

너랑 친구가 된 게 내 인생에서 가장 잘한 일 중 하나야. 진심으로 늘 고마워. 올해 너무 수고했고 고생 많았어. 만약 너 스스로 노력 많이 안 했다고 생각한다면 정말 아니라고 말해주고 싶어.

네가 하는 모든 일 다 잘되었으면 좋겠어. 진심으로!

내가 본 너는 최선을 다해 준비했기 때문에 결과가 어떻든 스스로를 잘 보듬고 아낄 수 있는 마음으로 앞날을 걸어갈 수 있을 거야.

나는 너를 만나고 이렇게 하루하루 웃으면서, 때로는 위로해주면서 같이 보낼 수 있다는 게 정말 기쁘고 행복해. 너는 나한테 선물 같은 사람이야!

그리고 나타난 건 지난날들. 세인이 부담으로 느꼈던 모든 순간이었다. 부모님의 응원 한마디, 친구들의 초콜릿 선물들, 조그마한 배려와 사랑. 그 모든 것들이 천천히 스쳐 지나간다. 잊었던 사랑을 다시금 기억한다. 그쳤던 눈물을 다시 흘린다. 수위는 높아지지 않는다. 수많은 감정의 산은 바다로 바뀐지 오래였고, 그 바다는 사랑으로는 다시 차오르지 않는다. 눈물을 흘리다 세인은 다시금 정신을 잃는다.

세인은 곧 눈을 뜬다. 세인은 시험 준비를 시작한 뒤 처음으로 꿈을 기억하지 못한다. 처음으로 상쾌하게 눈을 뜬다. 그리고 핸드폰 알람음이 울린다. 세인이 시험을 보러 다니며 가장 많이 들은 노래였다. 세인은 상쾌한 마음으로 나갈 준비를 한다. 이제 세인은 그 꿈을 꾸지 않는다.

여지껏 둘러메고 있는 건 아마도 미처 꺼내지 못한 미안일 거야
조금 자고 나면 기억 안 날 거야

- 기분의 무게, 태인

첫사랑

전예빈

    그녀를 처음 만난 건 3년 전 겨울이었다. 어느 건물 앞을 떠돌던 나는 차가운 길바닥에 힘이 풀린 채 주저앉아있는 그녀를 보았다. 그녀는 눈이 쌓인 바닥이 차갑지도 않은지 바닥에 손을 짚고는 넋이 나간 표정을 하고 있었다. 자세히 보니 그녀의 눈에선 눈물이 흐르고 있었고, 그녀의 손엔 피가 묻어 있었다. 그녀의 것인지 타인의 것인지 모를 선혈이었다. 나는 서서히 그녀에게 다가갔다. 모든 것을 잃은 채 허망한 표정을 짓는 그녀에게 순순히 이끌렸다. 나는 그녀의 앞에 무릎을 꿇고 앉아 그녀와 시선을 맞췄다. 그러나 그녀는 눈물을 흘리며 바닥만을 바라보고 있었다. 눈으로 인해 차가워지는 손이 점점 붉어지는 것도 잊은 듯했다. 그녀의 손을 따뜻하게 해주고 싶었다. 그러나, 그녀의 손 위에 내 손이 얹어지는 일은 없었다. '나'라는 존재는 이 세상에 없는 존재였으니까. 그러니 나의 온기가 그녀에게 전해질 리 없었다. 그때 처음으로 그런 생각을 했던 것 같다.

    다시 사람이 되고 싶다고.

    그러나 구천을 떠도는 존재가 다시 사람이 될 수는 없다. 그게 세상의 당연한 이치이자 도리였다. 그럼에도 나는 인간이 되길 갈망했다. 다시 인간이 되어서, 그녀를 위로하고 온기를 전해주고 싶다는 일념 하나로. 마치 그것이 나의 숙명, 나의 운명인 것처럼. 하지만 그 방법을 찾을 리는 만무했고 나는 그저 이승을 떠도는 존재로서 3년간 그녀의 곁을 맴돌았다.

그녀는 늘 오전 7시에 기상해 간단히 식빵을 구워 먹은 후 필요한 짐만 챙겨 집을 나섰다. 그리곤 걸어서 10분 거리에 있는 카페로 향했다. 그 카페는 그녀의 일터였다. 카페에 도착한 그녀는 익숙하게 기계를 켜고 커피를 내렸다. 향긋한 커피 향에도 그녀는 굳은 표정만을 고수했다. 그녀는 마치 커피를 내리는 기계처럼 능숙하게, 그러나 감정 없이 일했다. 휴식 시간에도 굳은 얼굴은 펴질 줄 몰랐다. 그럼 나는 그녀의 앞에 서서 찌푸려진 그녀의 미간을 엄지손가락으로 살살 펴보기도 했다. 물론, 닿는 건 아무것도 없었지만. 그녀는 오후 5시에 퇴근해 늘 집 근처 편의점에서 맥주 한 캔과 삼각김밥 2개를 사서 저녁으로 먹었다. 그리곤 샤워를 한 후 곧바로 잠이 들었다. 그녀의 일상은 특별할 것 없는 단조로움 그 자체였다. 아니, 단조롭다 못해 외로워 보이는 삶이었다. 그녀가 잠이 들면 난 그녀의 침대 머리맡에 앉아 잠자는 그녀의 얼굴을 바라보았다. 그녀의 표정이 유일하게 편안해 보이는 시간이었다. 평소에도 이런 얼굴을 하면 좋으련만…. 그날 무슨 일이 있었던 건지 그녀는 그날 이후 한번도 웃지 않았다. 원래 웃지 않는 사람인가 싶기도 했지만 그렇다기엔 집에 걸린 액자 속에는 웃는 그녀가 있었다. 화사하고 보는 이마저 기분 좋아지는 웃음이었다. 그녀는 그 웃음을 꼬박 3년간 감추었다. 웃는 얼굴을 보고 싶은데. 그녀가 모든 걱정을 털어버리고 웃기만 하면 좋을 텐데. 나는 서서히 손을 뻗어 엄지손가락으로 그녀의 입꼬리를 올리는 시늉을 했다. 내 손가락이 그녀의 얼굴을 뚫고 지나가도 계속했다.

내가 인간이었다면, 외로워 보이는 그녀를 안아주고 힘들어하는 그녀를 위로해주었을 텐데. 그럼 그녀는 조금이나마 예전의 웃음을 되찾을 수 있겠지. 그녀의 피부를 뚫고 투명하게 들어가는 내 손을 보며 나는 한숨을 쉬었다. 인간이 되고 싶다. 사람이 되고 싶어. 나의 유일한 소원은 오늘도 이뤄지지 않았다.

그로부터 3일 뒤, 신기한 일이 일어났다. 그녀가 처음으로 웃은 것이었다. 그녀는 평소처럼 오전 7시에 기상했다. 그리곤 식빵 하나를 구워 먹고 집을 나섰다. 여기까진 평소와 다를 바 없었다. 그런데, 햇살이 그녀를 비추자 그녀가 아주 맑은 미소를 지어 보였다. 그 순간 나는 심장이 쿵 내려앉는 듯한 기분이 들었다. 그녀의 웃음은 찰나였지만, 내 호흡을 가쁘게 하기 충분했다. 황홀한 기분이 내 온몸을 감쌌다. 두 볼이 붉어지고 몸에서 열기가 느껴졌다. 그렇게 어여쁜 미소를 보여준 그녀는, 그대로 일터를 향해 걸어갔다. 그러나 나의 몸은 꼼짝 굳어 버렸다. 그러다 그녀가 골목으로 사라지자 퍼뜩 정신이 들어 그녀를 쫓아갔다.

　그녀가 웃었다. 왜? 그토록 보고 싶은 미소였건만 이유는 알 수 없었다. 오늘보다 화창한 날은 더 많았고 그녀에게 좋은 소식이 있는 날도 몇 번 있었다. 그러나 그녀는 단 한 번도 웃지 않았다. 그렇다면 오늘은 왜? 왜 3년 만에 처음으로 웃은 걸까. 열심히 일하고 있는 그녀를 바라보며 생각했다.

　'오늘… 무슨 날인가?'

　그렇다면 무슨 날이기에 당신을 웃게 하는 거지? 자꾸만 그 이유를 알고 싶어졌다. 그녀의 생일은 이미 지났고 월급날은 아직 오지 않았다. 대체 뭐지? 자꾸만 그 미소의 이유를 내가 알아야 할 것 같은 느낌이 들었다. 나의 이 혼란스러운 마음도 모른 채 그녀는 행복한 얼굴로 커피를 내리고 손님을 맞았다. 같이 일하는 동료 직원이 무슨 일 있냐고 물어볼 정도였다. 마음이 혼란스럽긴 해도, 웃으며 일하는 그녀를 보니 자꾸만 심장이 두근거렸다. 만약 저 미소가 나를 향한 것이었다면. 그녀가 나를 향해 그 누구보다 어여쁜 웃음을 지어줬더라면. 잠시 상상했는데도 머리와 심장이 펑 터지는 것 같았다. 나는 두 볼을 부여잡고 수줍은 얼굴로 그녀를 바라보았다. 그녀는 여전히 수줍은 미소와 함께 커피를 내리고 있었다. 문득 그런 생각이 들었다.

'저 미소를 가질 사내가 부럽다.'

'그녀를 행복하게 해줄 사내가 부럽다.'

'내가… 그 사내였더라면.'

이뤄질 수 없는 소망이라는 건 참으로 아팠다.

그녀는 퇴근해서도 기분이 좋아 보였다. 부르지 않았던 콧노래도 부르고, 느렸던 발걸음은 들떠 있었다. 나는 그녀의 곁에 나란히 걸으며 잔뜩 상기된 그녀의 얼굴을 관찰했다. 그녀의 표정은 세상을 다 가진 듯 환했다. 그녀는 행복하면 이런 얼굴을 하나 봐. 기분 좋은 콧노래에 나 역시 덩달아 기분이 좋아졌다. 그녀의 옆에서 감미로운 노랫소리를 듣는 이 시간이 끝나지 않으면 좋겠다고 생각했다.

신기한 일은 또 하나 있었다. 항상 퇴근 후 편의점에 들러 맥주 한 캔과 삼각김밥 2개를 사던 그녀가 오늘은 제과점에 갔다. 나는 의아해하며 그녀를 따라 들어갔다. 그녀는 두 눈을 빛내며 케이크를 골랐다. 어떤 케이크가 좋을지 진심으로 고민했다. 그 모습에 나는 확신했다. 확실히, 오늘은 무언가를 기념하는 날이구나. 혹은 축하하는 날일 수도 있겠어. 그래서 3년 만에 그리 들떠있던 거야. 이제야 의문이 조금 풀리자 마음속에 묵은 듯한 체증이 가라앉는 듯한 기분이 들었다. 그리고 나는 그녀의 케이크 고르기에 동참했다.

그녀는 초코케이크 중 어떤 디자인이 좋을지 꼼꼼히 따져보고 있었다. 맛을 고르는 것엔 주저함이 없었지만, 디자인만은 신중하게 골랐다. 나는 케이크 쇼케이스를 유심히 살펴보는 그녀에게 장난스레 말을 걸었다.

"깔끔하기에는 왼쪽 케이크가 더 깔끔하지 않아요? 하지만 화려한 디자인을 선호한다면 확실히 오른쪽 케이크가 나을 수 있겠네요. 크흠. 제 의견을 말씀드리자면 저는 깔끔한 디자인의 왼쪽을,"
"저기요, 이거 하나 주세요."

그때, 그녀가 왼쪽에 있는 케이크를 골랐다. 비록 그녀에게 건넨 말이었음에도 그녀가 들을 수 없다는 것을 안다. 그런데 그녀는 마치 내 말이 들리는 것처럼 행동했다. 순간적으로 내 목소리가 들리나 하는 착각이 일었다. 놀란 마음에 그녀의 눈앞에 손을 휘휘 저어보았지만, 반응이 없는 걸 봐선 그건 아닌 모양이었다. 격하게 박동하는 심장을 겨우 진정시킨 채, 나는 케이크를 계산하고 나가는 그녀를 따라 나섰다. 화려한 장식 하나 없이 초콜릿 조각 하나만이 올려진 단순한 케이크가 그녀의 마음에도 든 모양이었다. 그녀와 내가 같은 케이크를 고른 것만으로도 하늘을 날아갈 듯 기뻤다. 나는 경쾌한 그녀의 발걸음에 맞춰 길을 걸었다. 그녀는 어김없이 편의점에 들렀다. 그러나 구매한 물건은 그저 맥주 두 캔뿐이었다. 삼각김밥은 구매하지 않았다. 그녀는 평소 자신이 좋아하는 맥주 브랜드의 캔 하나를 고르고 그 윗줄에 있는 다른 브랜드의 캔을 골랐다. 그건 그녀가 3년 동안 한 번도 마신 적 없던 맥주였다. 아무래도 오늘 또 다른 누군가와 특별한 날을 축하할 모양이었다. 내심 그 사람이 부러워졌다. 난 그저 계산대 위에 놓인 맥주 캔의 표면에 맺힌 이슬을 바라보는 것밖에 할 수 없는데.

집에 도착한 그녀는 케이크와 맥주 캔을 조심스레 내려놓고 욕실로 향했다. 그동안 나는 식탁 위에 놓인 두 음식을 바라보았다. 오늘이 특별한 날인 건 분명한데, 그게 무슨 날일까. 나한테도 알려주면 좋으련만. 그녀가 내게 말을 걸 수 못함을 알면서도 감히 나에게 알려주길 희망했다. 오늘따라 인간이 되어 그녀 앞에 나타나고 싶은 마음이 간절해졌다. 하지만 아무리 빌어봤자 세상의 이치를 뛰어넘을 수는 없었다.

지난 3년간 그녀의 식탁 위에 놓인 적 없던 케이크와 다른 브랜드의 맥주가 이질적으로 느껴졌다. 그리고 곧 그걸 함께 즐길 다른 이가 온다는 사실에 불쾌감이 느껴졌다. 어떤 사람일까. 어떤 사람이기에 굳은 표정의 그녀를 웃게 만들고 그녀의 특별한 하루를 같이 보내는 영광을 얻은 것일까. 잠시 후 그 사람이 오면 그이를 면밀히 관찰해야겠다고 생각했다.

샤워를 마친 그녀는 머리를 말리고, 편안한 옷으로 갈아입은 후 케이크를 꺼내고는 그 위에 기다란 초 하나를 꽂았다. 맥주도 따고 모든 준비를 끝냈다. 그러나 또 다른 맥주의 주인은 오지 않았다. 언제 오는 거야. 그녀가 기다리고 있는데. 내가 그녀의 손님도 아닌데 괜히 초조해졌다. 하지만 그녀는 그저 초가 꽂힌 케이크를 바라보며 희미하게 웃었다. 그녀의 맞은편에 놓인 맥주 캔의 표면에 물기가 맺혀 바닥으로 떨어졌다. 그럼에도 그녀는 웃었다. 그게 옳다는 듯이.

잠시 후 그녀가 자리에서 일어나 방에서 어떤 사진 하나를 가지고 나왔다. 보관을 잘해두었는지 구김 자국 하나 없는 판판한 사진이었다. 그녀가 사진을 꺼낸 건 3년 만에 처음 있는 일이었다. 그녀의 집에 있는 사진이라곤 그녀의 독사진뿐이었으니까. 그런데 다른 사진이라니? 나는 궁금증이 일어 그녀가 들고 온 사진을 유심히 보았다. 사진 속에는 어떤 남자와 그녀가 어깨동무를 한 채 환하게 웃고 있었다. 어찌나 밝은지 그 웃음이 생생히 느껴질 정도였다. 그녀는 사진속 남자의 얼굴을 천천히 쓰다듬었다. 검은 머리칼, 갈색 눈동자, 동그랗고 커다란 눈, 높고 날이 선 콧대, 가늘고 얇은 입술까지. 그녀의 손길을 따라 남자의 얼굴을 찬찬히 살펴본 나는 소스라치게 놀랐다. 그 사진의 남자는, 그녀가 애타는 손길로 어루만지고 있는 저 남자는,

"...나잖아."

바로 나였으니까. 나조차도 잊고 있던 나의 얼굴이었다.

그래, 그랬던 거구나.

"난 아침밥으로 간단하게 식빵 하나 구워 먹는 게 좋더라."

아침엔 밥을 먹던 네가 3년 동안 식빵 하나만 먹었던 것도.

"일 끝나고 먹는 맥주 한 캔과 삼각김밥. 이게 행복이지 않을까?
행복 되게 별거 아니다, 그치?"

퇴근 후 항상 맥주 한 캔과 삼각김밥을 샀던 것도.

"지혜야 우리 초코케이크 먹자!"
"하여튼 초딩 입맛 못 말린다니까."

주저없이 초코케이크를 골랐던 것도.

"지혜야 우리 10주년 때는 뭐할까?"
"뭐… 그냥 집에서 케이크에 초 불고 맥주나 마실까?"
"..그래도 10주년인데?"

"..집에서 둘이 있으면 더 좋잖아."

"..응?"

"집에서. 단둘이서만."

"..어, 어. 이해했어. 너무 좋은 생각이다. 지혜야."

오늘, 3년 동안 사지 않았던 케이크를 사고 서로 다른 브랜드의 맥주 두 캔을 산 것도.

"..너와 나의 10주년이라서."

그동안 잊고 있던 기억들이 파도처럼 밀려왔다. 어떻게 내가 너를 새까맣게 잊을 수 있지? 나의 연인, 나의 하나뿐인 사랑인 너를? 나는 미안함에 온 눈물을 쏟아냈다. 그리고 마침내 기억난 나의 연인의 이름을 불렀다.

"..지혜야."

"오빠. 오늘 우리 10주년이다? 우리가 사귄 지 벌써 10년이야. 비록 오빠한테는 7년이겠지만…."

"..지혜야, 나, 나 여기 있어. 나, 네 옆에 있어."

"되게 오래됐다. 그치. 요즘 10년 가는 연애 잘 없던데."

"..나, 나 좀 봐줘. 지혜야 제발….."

"이렇게 길게 연애할 수 있었던 거, 다 오빠 덕분인 것 같아. 내 변덕스러운 성격 다 받아준 오빠 덕분에. 나 정말 행복했었어. 지난 10년 동안."

너는 바로 옆에 있는 나를 보지 못한 채 사진 속 나만을 들여다보았다. 애타게 불러도 듣지 못했다. 지금 네 세상에 있는 건 실제 내가 아닌 사진에 담긴 나일 테니. 두 눈에서 피눈물이 흐르는 것 같았다.

"오빠 죽고 나서 3년은 정말 힘들었어. 자꾸 오빠가 죽는 장면이 떠올라서."

그래, 나는 너의 앞에서 죽었었지. 3년 전 추운 겨울, 눈이 많이 내리던 그때, 우린 손을 맞잡고 길을 가고 있었고, 그때까지는 행복했어. 그런데,

"지혜야!!!!"

차도를 넘어 널 향해 달려드는 차량에 나는 내 몸을 대신 던졌었지. 그래, 맞아. 난 그렇게 죽었어. 너를 살리고, 나를 희생했지. 난 그 결정을 후회한 적 없어. 널 밀쳐내고 내가 치이는 그 순간까지도. 근데 그것이 네게 큰 상처를 주었구나. 지혜야. 넌 3년간 죽은 나를 떠

올리느라 웃지도, 제대로 먹지도 못한 거구나.

"..근데 이제 보내주려고. 오늘 우리 10주년이잖아. 이제 너무 오래 만났다. 그렇지?"

너는 장난스레 웃으며 말했지만, 네가 들고 있는 사진 위로 따스한 눈물 한 방울이 떨어져 내렸다.

"오빠가 살려준 목숨, 오빠가 다시 준 삶. 나 잊지 않고 열심히 살게."

"……"

"이 생명, 가벼이 여기지 않을게. 그럼 오빠의 희생이 헛되이 되는 거니까."

"..내 희생은 처음부터 헛되지 않았어. 너를 살렸으니까."

"그러니까 오빠, 나 잘 사는지 끝까지 지켜봐 줘."

"..언제나 너의 곁에서 널 지켜줄 거야."

"나중에 꼬부랑 할머니 되어 만나도 못났다고 하면 안 돼. 알았지?"

"그럼. 넌 세상에서 가장 어여쁜 사람인걸."

내가 가장 좋아했던 빛나는 웃음으로, 너는 내게 안녕을 고했다.

그리고 나 역시 네게 마지막 인사를 했다.

"나를 잊지 않아 줘서 고마워."

"……"

"내 사랑을 기억해줘서 고마워."

"..오빠. 잘 가."

"언제나 너의 옆에 있을게. 저 하늘에 있는 태양처럼, 밤에 뜨는 달처럼, 흐르는 물처럼, 마시는 공기처럼. 그렇게 네 옆에 있을 거야."

"..사랑했어. 그리고 사랑해."

"사랑해 지혜야."

그 인사를 끝으로 너는 촛불을 불었다. 초코케이크 위에 홀로 꽂힌 초에서 연기가 피어오르고 너는 박수를 쳤다. 그리고, 난 그 연기를 따라 위로, 더 위로 올라갔다. 아래를 내려다보니 환히 웃으며 눈물을 닦는 네가 보였다. 내 유일한 사랑, 그 사랑을 새기며 난 너의 집에서 멀어졌다.

멀리, 더 멀리. 그렇게 멀어져갔다.

후기

김정원

작년 후기 쓴지 얼마 안된 거 같은데 후기를 또 쓰고 있다니... 시간이 너무너무 빠른 것 같다.

후기는 쓸 때마다 고민된다. 뭘 써야 할 지 모르겠어서 여태 냈던 문집 한 번 꺼내보고, 허공도 바라보고...

올해는 특히 낸 작품이 별로 없어서 더 그런 것 같다. 개인적으로 조금 아쉬운 한 해였다.

수정하고 싶은 것도 많았고, 새로 추가하고 싶은 것도 많았는데 그러지 못해서 너무 아쉽다.

후회해도 다음이 있다는 건 엄청난 복인 것 같다. 매년 같이 문집 내주는 내 친구들 너무 고마워... 올해도 너무너무 수고했어...

2024년에는 휴학생이라 남는 게 시간일 예정이다. 후회없이 열심히 해보겠습니다. 화이팅!

유하늘

이번년도도 정말 더럽게 바쁘고 언제 어떻게 지나간지 모르겠는 하루하루를 보냈습니다…

싱숭생숭 스물셋이 되었고 이제 졸업을 슬슬 준비해야하는 시기가 와버렸군요. 전 정말 너무나 바빴고… 사흘 걸러 한번 카톡을 보는데 절 내버리지 않고 이렇게 후기란에 갖다 실어주는 당신들에게 감사의 치얼스 이정도면 객원멤버임

여튼 고생이 많았습니다 올해는 비교적 순탄히 지나가길 간절히 바라봅니다. 마지막은 그냥 요즘 드는 생각과 똑같은 노래가사로

난, 그래 확실히 지금이 좋아요
아냐, 아냐 사실은 때려 치고 싶어요
아 알겠어요 나는 사랑이 하고 싶어
아니 돈이나 많이 벌래
_ 아이유, 스물셋

윤수빈

2023년은 고3 이후로 그림을 제일 많이 그린 해였다. 저번 후기를 보니 그림 그리는 것이 즐거워졌다고 썼던데 작년과 올해도 여전히 그리는게 재밌다.

작년 초반 그림을 보니 그때 들었던 일러스트 강의의 영향으로 반무테를 시도해봤던 것이 기억난다. 색도 밝게 쓰려고 했었다. 그런데 잘 안 맞아서 금방 원래 그리던 방식으로 돌아갔다. 그렇게 하던 대로 그림 그리고 합작 하고 갑자기 야구도 보면서 8월까지 휴학 생활을 즐겼다.

그러다 휴학을 한 이유 중 하나였던 워킹홀리데이를 가야해서 이것저것 준비해서 일본으로 갔다. 솔직히 가기 직전에 안 가고 싶었다. 혼자 살아보는 것도 처음인데 그걸 해외에서 할 생각에 뒤늦게 무서워졌다. 하지만 다녀와서 생각해보니 좋은 경험을 많이 해봐서 가길 잘했다고 생각한다.

일본 워홀 중 하우스 메이트랑 얘기하다 취미 얘기가 나와서 그림 그리는게 취미라고 했더니 여태까지 그렸던 것들을 보여달라고

했다. 핸드폰에 저장해 놓은 그림이 없어서 그냥 말로만 나중에 라고 했다. 그 후로 잊은 줄 알았는데 아니었다. 그래서 그 당시 합작으로 그렸던 것들 중 제일 마음에 든 그림을 보여줬다. 그 후로 하우스메이트들에게 굿즈 일러스트와 포스터 외주가 들어왔다. 합작 그림으로 일이 들어와서 당황했었다. 특히 포스터는 일러스트랑 디자인을 하루 만에 완성해달라고 해서 부담스러웠다. 그래도 일본어로 된 포스터를 그때 아니면 언제 만들어 보겠냐는 생각으로 만들었던 것이 기억난다.

글로리 활동을 하지 않았다면 다른 사람들에게 보여줄 수 있는 그림이 한 장도 없었을 것이고, 합작 그림을 통해 외주가 들어오는 경험도 못해봤을 것이다. 가족과 친구가 아닌 사람들에게 내 그림이 좋다는 말도, 취미로만 하지 말고 일러스트레이터가 되어보는 것은 어떠냐는 빈 말이라도 기쁜 얘기들을 못 들어 봤을 것이다.

이제서야 써보지만 합작은 내게 소중한 활동 중 하나이다. 글로리가 아니었다면 덕질이 아닌 그림들을 그리지 않았을 것이다. 또 친구들의 글과 그림을 볼 수 있는 것과 그동안의 작품들을 모아서 책으로 내는 것도 경험해보지 못했을 것이다. 다 같이 오래오래 재밌게 글 쓰고 그림 그렸으면 좋겠다!!!

이현주

참 복잡한 1년이었다. 사실 기쁜 일보단 힘들고 아픈 날들이 더 많았던 1년이었다. 그럼에도 지금 웃을 수 있는 건 많은 사람이 내게 빌려준 사랑이 아닐까, 생각한다.

책 편집을 하며 참 나는 음악 없이는 살 수 없는 사람이구나, 깨달았다. 음악을 들으며 감정을 느끼고, 음악을 들으며 이야기를 상상했다. 3~4분 정도의 짧은 시간 속에 압축된 감정들은 상상의 나래를 펼치기 충분했다. 그래서인지 올해에 쓴 글들이 전부 노래를 기반으로 쓰였다. 광기를 드러내는 노래도, 슬픈 노래도, 희망적인 노래도, 담담한 노래도 전부 나의 경험이 되고 감정이 되었다.

사실 마지막 글인 '잠수'는 1년 동안 겪었던 나의 일을 담았다. 세인이 느낀 감정의 일부분도 내가 느낀 감정이다. 중간에는 내가 시험 준비를 하며 쓴 일기도 인용되었다. 물론 반영된 게 전부는 아니고, 일정 부분? 어디까지가 사실인지 밝히면 부끄러우니까 비밀로 하겠다. 아무튼, '잠수'에서는 사람이 극에 달하면 감정 또한 극으로 다다른다는 이야기를 풀고 싶었다. 참 스스로도 감정을 주체하지 못 한 1년이었다. 감정적으로 구석에 내몰리게 되면, 나에게 건네는 손조차도 날 밀치려는 손으로 보인다. 1년 동안 참 예민했고 불안정했다. 그런 나를 안아준 사람들이 참 고맙다. 뮤지컬 렌트를 보고 가장 인상 깊었던 문장은 '사랑은 절대 살 수 없다 하지만 서로 빌릴 순 있어 돌려줄 필요 없어'라는 가사였다.(I'll cover you 中) 나는 내가 받은 사랑을 갚아야 한단 생각에 부담을 느꼈는데, 이 넘버를 들으며 얼마나 울었는지 모른다.

1년 동안 참 예민한 나와 함께 해줘서 고맙다고 말하고 싶다. 나 대신 합작을 진행해준 예빈에게도 너무 고맙다. 올해도 참 고생 많았고 내년에도 같이 잘 해보자, 친구들아. 사랑해!

전예빈

　세 번째 문집 발간을 셀프 축하합니다~~ 벌써 일 년이 훅 지나가고 또 새로운 문집을 낼 시기가 왔다니 시간이 참 빠르다는 게 느껴진다. 올해 유독 다른 때보다 글을 많이 못 썼는데 사실 글태기라고 글 쓰는 데 권태기가 좀 찾아왔다. 뭔가 글 하나 쓰는 것도 귀찮고 그 글을 구상하는 데 드는 시간도 너무 아깝다고 느껴졌었다. 그렇지만 짧은 글을 하나하나 써 나가면서 서서히 그 글태기를 극복할 수 있었고 요즘은 다시 글 쓰는 게 재밌어졌다. 다음 문집은 이번 문집보다 더 많은 글을 싣는 걸 목표로 할 것이다. (할 수 있겠지..ㅋㅋ)

　친구들과 이런 멋지고 좋은 추억을 꾸준히 만들어갈 수 있어서 영광이고 행복하다. 다음 문집을 또 기약하며 우리 다섯 명의 친구들 모두모두 파이팅!! 내년 문집도 열심히 만들어 보자!!!!!

Remember the love

발행 | 2024년 03월 05일

저자 | Glory (https://gloryyjhs.postype.com/)
　　　　김정원, 유하늘, 윤수빈, 이현주, 전예빈

편집 | 이현주

디자인 | 윤수빈

표지디자인 | 윤수빈

펴낸이 | 한건희

펴낸곳 | 주식회사 부크크

출판사등록 | 2014.07.15.(제2014-16호)

주소 | 서울특별시 금천구 가산디지털1로 119 SK트윈타워 A동 305호

전화 | 1670-8316

이메일 | info@bookk.co.kr

ISBN | 979-11-410-7501-9

www.bookk.co.kr